SEJA A SOLUÇÃO DOS SEUS PROBLEMAS

JOSÉ ROBERTO MARQUES

SEJA A SOLUÇÃO DOS SEUS PROBLEMAS

APRENDA A MUDAR SUA PERCEPÇÃO DO MUNDO
E SE PREPARE PARA OS OBSTÁCULOS DA VIDA

)|(Academia

Copyright © José Roberto Marques, 2019
Copyright © Editora Planeta do Brasil, 2019
Todos os direitos reservados.

Preparação: Marina Castro
Revisão: Vivian Miwa Matsushita e Project Nine Editorial
Diagramação: Project Nine Editorial
Capa: Departamento de criação da Editora Planeta do Brasil

Dados Internacionais de Catalogação na Publicação (CIP)
Angélica Ilacqua CRB-8/7057

Marques, José Roberto
   Seja a solução dos seus problemas: aprenda a mudar sua percepção do mundo e se prepare para os obstáculos da vida / José Roberto Marques. -- São Paulo: Planeta, 2019.
   176 p.

   ISBN: 978-85-422-1816-9

   1. Não ficção 2. Técnicas de autoajuda 3. Solução de problemas - Aspectos psicológicos 4. Autoconhecimento Título II. Marques, José Roberto

   19-2237   CDD 158.1

Índices para catálogo sistemático:
1. Técnicas de autoajuda 158.1

Livro realizado em parceria com:

ibc INSTITUTO BRASILEIRO DE COACHING

**Acreditamos
nos livros**

Este livro foi composto em Adobe Garamond Pro e Myriad Pro e impresso pela Gráfica Santa Marta para a Editora Planeta do Brasil em outubro de 2019.

2019
Todos os direitos desta edição reservados à
EDITORA PLANETA DO BRASIL LTDA.
Rua Bela Cintra 986, 4º andar – Consolação
São Paulo – SP CEP 01415-002
www.planetadelivros.com.br
faleconosco@editoraplaneta.com.br

Você prefere ser parte do problema ou parte da solução?

Sumário

SOBRE SABER E AGIR 9

OS 2 TIPOS DE PROBLEMA 17

OS 2 ESTADOS DA ALMA 25

A HISTÓRIA QUE VOCÊ CONTA DA SUA HISTÓRIA 35

LIBERTE-SE DO MEDO, DA ANSIEDADE E DA CULPA 45

TORNE-SE UM AGENTE DA TRANSFORMAÇÃO DO MUNDO ... 55

OS 7 TRAÇOS DA MATURIDADE HUMANA 65

O PERDÃO RESOLVE PROBLEMAS 77

ISENTÃO: "O PROBLEMA NÃO É MEU!" 87

O PROBLEMA DOS SEUS RELACIONAMENTOS É VOCÊ 95

MANIFESTE SEUS MILAGRES INTERIORES 105

IMPULSIVO OU "DEIXA PARA AMANHÃ" 115

PROBLEMAS COM AS CRIANÇAS 125

QUEM "QUEBRA" ENRIQUECE (OU OS 4 TIPOS DE RIQUEZA) ... 139

O EQUILÍBRIO TOTAL É A MORTE 149

OS 7 EFEITOS DA GRATIDÃO 159

VIVA A LEVEZA 171

SOBRE SABER
E AGIR

Querida pessoa,

Se há um presente que a vida nos dá é a oportunidade de aprender e de viver. Aprender com os livros é extraordinário, aprender com a vida é uma dádiva. Um não exclui o outro, e ambos fazem de nós pessoas únicas e maravilhosas.

Sou palestrante, formador de pessoas, professor, mestre de coaching. E sinto que só aprendo quando tenho a oportunidade de compartilhar aquilo que já sei. Talvez seja por isso que não me vejo, nem na mais impiedosa velhice, deixando de ensinar – porque não conseguiria viver sem aprender.

Acontece que, muitas vezes, quando consumimos algum tipo de conteúdo, seja assistindo a um vídeo em uma rede social ou comparecendo a um evento, ou mesmo lendo um livro, não nos conectamos verdadeiramente com aquela pessoa ou com aquilo que está sendo dito.

Isso acontece, mas não deveria.

Aprender exige uma grande absorção para que aquele conhecimento se torne um hábito, uma prática. Saber e não aplicar é, na verdade, não saber. Digo isso, claro, para conhecimentos que ofereçam um impacto positivo na nossa vida.

Para ilustrar a mensagem com a qual pretendo iniciar este precioso livro, permita-me contar uma das muitas histórias da minha caixinha de metáforas; assim, talvez, eu me faça entender com mais precisão.

Há muitos e muitos anos, um sábio mulçumano contou uma história sobre um famoso "caçador de passarinhos", e essa história continua a ser contada ainda hoje pelos que dela extraíram uma lição grandiosa.

Um belo dia, um caçador de aves conseguiu aprisionar um pássaro extraordinário, de uma beleza inigualável, e ainda por cima poliglota: entendia mais de 50 idiomas. Ao ser capturado, o pássaro implorou para ser posto em liberdade e disse ao caçador:

"Se você me soltar, prometo lhe dar os três conselhos mais sábios do mundo."

O caçador ficou perplexo com a oferta do pássaro e disse:

"Me diga os conselhos e eu o soltarei."

"De jeito nenhum! Primeiro me solte e depois eu digo", retrucou o pássaro.

O caçador considerou que os conselhos poderiam valer muito mais do que o pássaro e, pensando no que poderia lucrar posteriormente, libertou o animal. Este rapidamente voou para o galho de uma árvore.

"Pronto, me dê os conselhos", disse o homem.

"O primeiro é: nunca se arrependa do que já aconteceu."

"Qual é o segundo conselho?"

"Não acredite em tudo o que ouve."

"E o que mais?"

"Não faça aquilo que não dará resultados."

O caçador gostou daquilo que ouviu. Entretanto, antes que ele pudesse agradecer ao pássaro, este falou:

"Quanta ingenuidade! Você me libertou e não sabe o que acabou de perder."

"O quê?", perguntou, curioso, o caçador.

"Dentro do meu corpo existe um imenso diamante mágico. É ele que me fornece toda a sabedoria do mundo."

O caçador ficou atônito ao ouvir aquilo. Seus olhos fincaram-se no corpo daquela ave e, num rompante, ele saltou num dos galhos da árvore. O tombo foi feio; com o corpo estendido no chão e uma perna bem machucada, viu o pássaro voar acima de sua cabeça e falar:

"Que tolo! Acabei de compartilhar com você minha sabedoria e já se esqueceu! Aconselhei-o a nunca se arrepender do que já aconteceu, e você se arrependeu de me dar a liberdade. Depois, aconselhei-o a não acreditar em tudo o que ouve, e você acreditou nesse absurdo de haver um diamante dentro do meu corpo. E, por fim, eu lhe disse para não fazer aquilo que não vai dar resultado, e você tentou me capturar de uma maneira tola, sem nenhum recurso."

O caçador ouviu atentamente o pássaro, mas nenhum dos conselhos que a ave lhe deu fez realmente sentido para ele. Ele só os esqueceu tão rápido porque nenhum deles reverberou em sua mente, nenhum deles produziu um eco tão profundo que tivesse a força de se transformar de linguagem em ação.

Você já ouviu muitos conselhos em sua vida. Quantos deles você seguiu ou segue até hoje?

Quantos dos conselhos que ouviu você ignorou ou rejeitou e, hoje, nem sequer se lembra?

Crescemos com uma desconfiança em relação à ajuda alheia, tanto que ouvimos desde cedo que se conselho fosse bom, se venderia. Talvez essa crença leve nossa mente a duvidar, questionar e rejeitar qualquer tipo de conselho ou mesmo lição de vida que tenha como proposta produzir uma mudança de comportamento.

Pode ser que em algum nível nos sintamos desconfiados e manipulados por um tipo de modismo que pretende dar uma solução única, com um conhecimento exclusivo que rapidamente se transforma em hegemônico. Essa desconfiança é verdadeira porque não há uma solução única para nada.

Neste livro, não darei conselhos, porque se começássemos assim talvez você rejeitasse minhas palavras. Quero compartilhar com você – a partir das minhas décadas de experiência como empresário e estudioso, mas, sobretudo, como um indivíduo que convive intensamente com uma diversidade de pessoas – conhecimentos e atitudes que ajudaram a mim e aos meus a conseguir uma vida mais focada nas soluções do que nos problemas.

Os problemas podem existir no mundo ou apenas na sua mente. Eles podem ser gravíssimos ou muito simples. Podem ter uma carga de sentimento bastante poderosa, para o bem ou para o mal, ou podem gerar uma indiferença absoluta. Eles podem tratar exclusivamente de você ou envolver outras pessoas. Podem ser resolvidos com uma decisão simples ou com uma decisão muito impactante. A solução de um problema pode melhorar o seu dia ou a sua vida.

As situações que enxergamos como problemas são tantas quantos somos nós. Um problema é, sobretudo, uma construção humana. Sendo eu um humano, tenho parte no problema. E sendo os problemas uma construção dos homens, apenas estes têm a responsabilidade de lidar com eles.

Quero lhe dizer que você pode ser parte da solução dos problemas, e isso é uma decisão sua.

Você decide se vai potencializar ou resolver o problema. Você decide se vai sofrer ou planejar, se vai desistir ou recomeçar.

Há dois segredos neste livro que acredito poder compartilhar desde esta mensagem inicial; assim você já estará instrumentalizado para lê-lo.

O primeiro é: não fuja do suposto problema, nem o ignore. Deixar de atender a ligação de cobrança não faz a dívida desaparecer. Tomar remédio para dormir não faz a frustração de um término de relacionamento passar – assim que o efeito do medicamento acabar, lá estará a dor, no mesmo lugar.

Mas é bom começar desde já a se perguntar por que uma dívida e um término se tornam problemas tão grandes. Não faz parte da vida de todas as pessoas em algum momento ser rejeitado pelo parceiro ou gastar um pouco mais e de repente ter que se replanejar financeiramente? De onde vem essa carga de sofrimento que, algumas vezes, se torna tão pesada que a vida chega a perder o significado?

O que nos leva ao segundo segredo.

O segundo segredo é: o problema só é problema porque você decidiu assim. É preciso não evitar que os problemas aconteçam, mas diminuir o tempo do sofrimento, aumentando o tempo da reação. Quando eu reajo a um problema, ele deixa de produzir sofrimento e passa a produzir oportunidades e aprendizados.

Há pessoas que, ao traçarem uma narrativa pessoal, transformam a própria vida numa sucessão de problemas. Ao falarem do trabalho, falam como se o tempo todo tivessem que resolver algo que não deu certo. Chamo essas pessoas de remediativas: elas passam a vida remediando, resolvendo, nunca planejando ou projetando.

Passar de remediativo a reativo é uma decisão consciente e absolutamente transformadora. É uma ação a partir de um conhecimento: eu sei que devo agir, sei como devo agir e ajo.

Por isso quero que, ao final desta leitura, você não seja o caçador de pássaros que esqueceu em segundos os conselhos que recebeu e fez o contrário do que julgava ter aprendido.

Se ao final desta leitura você tiver modificado ao menos uma percepção sua sobre problemas, se tiver absorvido pelo menos uma forma nova de reagir às situações que denominamos como problemas, e se conseguir enxergar menos problemas e gerar mais pensamentos criativos com foco nas soluções, minha missão com este livro terá sido cumprida.

Todo autor escreve um pedaço de si mesmo.

A escrita encerra horas debruçadas sobre o papel (ou o computador), frases que se apagam ou se rabiscam, a angústia em razão do raciocínio que não se completa. No fim, aquilo que é apenas mais um monte de parágrafos para muitos representa para seu genitor a exposição da sua alma, dos seus sentimentos, da sua vida, das suas ideias. O autor assume riscos e vai até o fim.

Escrever é uma ação emocional, mais que cognitiva. É uma responsabilidade assumida que ultrapassa em muito a mera competência técnica da escrita. É preciso entender o que o texto provoca, o que ele gera.

Eu espero que este texto gere, em você, novos pensamentos, atitudes e comportamentos, pois é apenas isso que produz mudança. Afinal, é para o leitor que se escreve.

O leitor é aquele a quem se dirigem todos os esforços das pessoas na produção de um livro. O leitor é a ponta curva do processo, porque também ele poderá dar sequência ao ciclo mágico de transformação por meio da leitura.

É o leitor quem dá significado às palavras escritas; ele também imagina e, como dizemos no coaching, cocria a história, pois, ao ler, participa dela. É também no leitor que reside a responsabilidade de disseminação, tanto do objeto livro quanto do seu conteúdo.

Quem sabe esse leitor não indica este livro e o leva até alguém?

Vamos, a partir daqui, pensar e disseminar o comportamento solucionador.

OS 2 TIPOS DE PROBLEMA

É incrível como geramos em nós o hábito de ver problemas e de reclamar. Claro, vivemos um momento de crise econômica, violência, falta de perspectivas e desilusão com o futuro. Mas será que não há alguma ferramenta que nos ajude a compreender esses cenários com mais otimismo, criatividade e, sobretudo, coragem? Não há uma forma de nos acostumarmos mais com as soluções do que com os problemas?

O que desejo compartilhar com você neste livro é que, primeiro, os problemas são percepções impregnadas de uma carga de dor e sofrimento. Segundo, os problemas nem sempre existem realmente, a não ser na nossa mente.

Não falarei aqui sobre a ideia costumeira de problema, mas a respeito de uma forma diferente de entendermos os fatos da vida. Esta será muito mais uma conversa sobre soluções. Mas preciso, antes, discorrer sobre como enxergamos e criamos as nossas dificuldades diárias.

Veja que, ao abrirmos os olhos pela manhã, temos nossa primeira chance do dia de administrar, mais uma vez, o nosso caos. Isso porque acordar nos revela a realidade de viver, e a vida, como pulso constante, nos coloca no centro do turbilhão de nossa existência, que não é apenas metafórico.

Demora até entendermos que a vida não é boa nem má. É simplesmente vida.

Isso faz sentido para você?

Nossa incapacidade de reconhecer a condição neutra da existência humana, cuja carga positiva ou negativa nós mesmos criamos, nos leva a considerar que a ausência total de dissabores é a característica principal de uma vida verdadeiramente boa, e, portanto, tudo que nos tira a tranquilidade, o centro e a previsibilidade passa a ser considerado um problema.

É comum enxergarmos problemas em tudo. Desde o tubo de creme dental que alguém apertou no meio em vez de fazer subir o conteúdo a partir do fundo até uma decisão errada e suas consequências.

Olhamos e vemos problemas. Nos aborrecemos com eles. Ficamos enfurecidos, falamos alto e desligamos abruptamente o telefone. Falamos um palavrão. Talvez dois. E depois de tudo isso, nada mudou, continuamos tendo um "problema" bem à nossa frente.

Há problemas que se mostram como fatos que, independentemente de nós, existem.

O seu carro quebrou; você está doente; terminou um relacionamento; foi demitido; o dinheiro não dá para fechar o mês; o cachorro comeu um livro; teve um projeto rejeitado; pediram para que você desocupe o apartamento em trinta dias; caiu na malha fina do imposto de renda; clonaram seu cartão de crédito...

Esses problemas são reais. São fatos que têm materialidade e uma carga negativa – por isso são considerados problemas.

Digo de pronto que a carga dessas situações é negativa porque, invariavelmente, elas provocam em nós sentimentos de dor. São situações inacabadas, traumas e imprevisibilidades que geram ansiedade, medo, insegurança, tristeza e raiva.

Os problemas reais têm solução, e essa solução começa em diminuir ou anular a carga negativa que você atribui a cada fato. Essa é a atitude que nos permite ver o problema como ele é, porque o racionaliza, diminuindo as emoções que nos invadem.

A dor não faz parte do problema; ela está em você e é acionada pela situação. Se ela está em você, é possível que você escolha não usá-la como lente para observar as situações cotidianas que teima em chamar de "meus problemas".

Que problemas o afligem hoje?

Eles são reais?

Veja que entre o real e a sensação de dor provocada pelo real existe uma pessoa, alguém que percebe, olha, interfere.

Imagine uma montanha.

Uma pessoa estava em frente a uma montanha. Ao olhar para ela, a pessoa se inspirou e, sacando pincéis e tintas, pintou um lindo quadro, compôs um poema e uma canção. A montanha era inspiração.

Outra pessoa passava pelo mesmo lugar e viu a montanha. Percebeu que esta tinha rochas bonitas. Deduziu que fossem preciosas. Decidiu então explorá-las. Enriqueceu e gerou empregos ao comercializar as pedras. A montanha era trabalho.

Uma terceira pessoa viu a montanha e percebeu que havia ali um delicioso clima úmido, silêncio e céu estrelado. Ela convidou muitos amigos, que acamparam ao pé da montanha, tocando violão, comendo churrasco e comemorando a vida. A montanha era fraternidade e memória.

Por fim, outra pessoa chegou à montanha e percebeu que ela era o fim da estrada. A montanha significava o impedimento de ir adiante. Era um problema irritante que devia ser superado para ser possível alcançar seu objetivo. Esse era o único significado possível para aquela montanha: um obstáculo difícil de transpor.

A montanha é um fato em todas as histórias. Ela existe, tem materialidade, mas não possui significado nenhum. O significado depende da forma como cada um a percebe.

Não é romantismo, é um fato: nada no mundo é mau ou bom – ou pelo menos não o é para todas as pessoas envolvidas. Não existe *a priori*. A carga de significado é dada por cada um de nós.

Cada integrante de um casal que se separa pode atribuir um significado oposto a esse fato: para um deles, é um problema, sofrimento; para o outro, uma solução, a libertação de algo ruim. O fato é o mesmo: a separação.

O que se torna um problema real para cada um de nós se caracteriza por essa carga negativa, que é o significado que damos para uma situação, a dor que lançamos sobre ela. O tamanho do problema é atribuído por nós.

Se o problema é real, é necessário alterar a carga negativa, e isso só é possível a partir de uma mudança de percepção, da sua performance diante de cada situação difícil. Ou seja, depende da sua capacidade de gerar soluções e resultados a partir do confronto entre sua percepção de mundo e suas ações.

Contudo... muitas vezes nossos problemas não têm materialidade. Eles podem ser fruto da nossa imaturidade, de nossos traumas e da nossa suposta capacidade de analisar o comportamento das pessoas, imaginando que elas pensam x ou y, e, com isso, gerar o mesmo sofrimento de um problema real.

Os problemas imaginários não têm solução porque simplesmente não existem no mundo. Não são factíveis. Não há como propor uma solução, um projeto, uma negociação.

Nós temos a incrível capacidade de criar problemas que não existem. Porque pensamos e sentimos, deixamos nosso mundo interior criar situações que nos abalam e que para nós são verdadeiras, mas também são geradoras de desequilíbrio e dor.

Há pelo menos dois causadores frequentes de problemas imaginários: o primeiro é a ansiedade; o segundo, a falta de escuta.

A ansiedade nos faz viver constantemente em um futuro incerto. Ela é causadora de medo e de uma frustração antecipada. Com a ansiedade, tememos coisas, quase sempre ruins, que podem vir a acontecer.

Vão me demitir, tenho certeza de que vão me demitir. Vou me mudar de apartamento, porque vão me demitir e não terei como pagar este. Preciso achar um dono para o meu cachorro, porque com certeza terei que ir para um apartamento menor. Veja, o problema não é se planejar ou antever uma situação. O problema é que fazemos antevisões sem sinal nenhum de que isso realmente acontecerá. Mesmo sem nenhum sinal claro de demissão, como um feedback mais incisivo, construímos uma dispensa imaginária e incluímos nela todas as suas complicações.

A ansiedade também nos faz, por exemplo, tomar medidas de segurança excessivas. Mesmo se vivemos em uma região com baixa incidência de violência, fazendo trajetos em que o risco de assaltos e de outros eventos perigosos é quase nulo, deixamos de sair porque "o mundo está muito perigoso".

Não quero de jeito nenhum banalizar a violência, mas quero que você entenda que, muitas vezes, o medo se torna excessivo e nos faz criar problemas de segurança que simplesmente não existem. Ultrapassamos a barreira da prevenção e do bom senso e entramos em um processo de reclusão que impacta negativamente nossa qualidade de vida.

Do outro lado, temos a falta de escuta. Ela está ligada ao nosso hábito de não ouvir o que as pessoas dizem e de criar nossas próprias narrativas. Falarei disso mais profundamente no capítulo sobre relacionamentos, mas aqui é importante dizer que parte dos nossos problemas imaginários, que causam profundo sofrimento, surge por criarmos as nossas próprias histórias e tirarmos as nossas próprias conclusões.

Quando perguntamos a uma pessoa se ela está bem e a resposta é algo como "sim, estou bem", mas algo dentro de nós nos diz: *Ela está muito cabisbaixa, certeza que está com problema em casa*, começamos a deixar de ouvir e passamos a acreditar no que pensamos, e não no que o outro disse.

Sempre achamos que há algo por trás do que as pessoas estão dizendo. Cotidianamente, desconfiamos dos outros e sofremos. Se alguém diz que estamos bonitos, significa que sempre fomos feios. Se alguém está muito alegre, provavelmente tem um amor secreto – que outro motivo geraria tanta alegria?

Ouvi de uma pessoa da minha equipe pessoal que seu *affair* estava "distante demais". Perguntei se havia conversado com ele, e ela respondeu que sim e que ele dissera que estava tudo bem, tinha apenas uns problemas no trabalho. Então emendou: "Com certeza ele quer terminar comigo e não tem coragem".

Essa "certeza" gera em nós uma frustração enorme, mas perceba que ela foi criada pela mente. Enquanto o outro não disser: "Quero terminar o relacionamento", o problema não é real. Ele não existe, porque não é um fato; é um problema imaginário.

E como resolver um problema imaginário? Não tem como.

Sei que você deve ter uma porção de "problemas" neste momento. Mas pense: isso que você está chamando de problema é real? É verdadeiramente um problema? Ou é uma percepção sua que, com forte carga emocional negativa, torna-se, na sua óptica, um problema?

Um problema não resolvido ou visto como grande demais pode estar relacionado a uma falta de confiança em si mesmo, a uma percepção distorcida das suas habilidades ou a uma crença de não merecimento. Tudo isso influencia suas ações: você decide errado, age de forma ruim e seu resultado é ruim, reforçando a ideia de que sua vida é muito problemática e de que você só atrai problemas.

Alterando a percepção da própria imagem, alterando a percepção da própria fé, alterando a percepção que temos sobre o mundo, alteramos também as ferramentas para lidar com os problemas.

Alterar a percepção sobre os problemas passa por separá-los entre reais e imaginários. Assim enxergamos melhor as situações, passamos a ter realmente alternativas melhores e a tomar decisões melhores.

Não é o problema que diminui, porque o problema é uma percepção. O que diminui é o impacto negativo do que você julgava ser um problema.

E por que diminui? Porque você altera seu padrão mental de negatividade para um de possibilidade ("isto é realmente um problema real?") e, em seguida, para um padrão de positividade ("se é real, tenho ferramentas para lidar com ele?").

Já consegue ver seus problemas de forma diferente?

Você é capaz, neste momento, de separá-los em reais e imaginários?

Compreende que, diminuindo nossos problemas imaginários, criados por nossa mente, diminuímos também a sensação de que "só há problemas na vida"?

Então podemos passar a conhecer os dois estados internos.

OS 2 ESTADOS DA ALMA

Viajar é uma das formas mais antigas de desenvolvimento e transformação do homem em todas as culturas e civilizações. Não por acaso, um dos principais poemas épicos, a *Odisseia*, de Homero, trata justamente das viagens de Ulisses. No cristianismo, as peregrinações também têm significados profundos. Toda viagem pode ser uma espécie de jornada de transformação, enfrentamentos e superações.

Tenho ido com alguma frequência à Índia e me conectado com os ensinamentos daquela cultura extraordinária. São viagens que provocam em mim verdadeiras revoluções internas por meio de lições e experiências. Porém, se eu tivesse que compartilhar um aprendizado de todas as viagens que já fiz a essa terra, seria justamente este: os únicos dois estados internos de todo e qualquer ser humano.

Reconhecer os dois estados de alma é fundamental para nossa evolução pessoal, pois aciona uma chave de autocura, um mecanismo que desconhecemos em nós mesmos.

Na vida de todo e qualquer ser humano, não importa de qual idade, sexo, cor, gênero, classe social ou país de origem, a realidade dos estados internos é a mesma. Quando falo de estados internos, quero dizer a forma como você se sente, como está mental e espiritualmente.

Entendo perfeitamente que o ser humano é um universo complexo e que a maioria das dicotomias (bons e maus, ricos e pobres, felizes e infelizes...) que dividem as pessoas pode acabar se revelando reduções simplistas, incapazes de abranger a totalidade do que somos. Mas realmente não existem outras variáveis. Há apenas dois estados internos possíveis.

Você talvez conheça intuitivamente esses estados por outros nomes, mas, no fim, tudo se reduz a isto: eu chamo um desses estados de "estado de sofrimento" e o outro de "estado de equilíbrio". Em qual estado você se encontra?

Nossa vida interior – que você pode chamar de mente, alma ou daquilo que fizer mais sentido para você – ou nos fará nos sentir bem, tranquilos, em paz, ou nos fará nos sentir angustiados, ansiosos, tensos e até mesmo depressivos. Ou sentiremos fé, confiança e motivação, ou sentiremos descrença, dúvida e negação. Ou enxergaremos nossos medos e erros como aprendizagem, ou os veremos como incapacidade. Nosso estado interno é determinante da forma como vemos o mundo fora de nós.

A jornada de todo ser humano é desprender-se do estado de sofrimento em direção ao estado de equilíbrio. Embora sempre haja oscilação, você pode perceber uma constância. Na maior parte do tempo, você tem sofrido ou gozado de paz interior?

No estado de sofrimento, nós nos conectamos majoritariamente com nossas energias mais negativas e pessimistas, com fatos ruins, memórias ruins, fracassos e rejeições. No estado de sofrimento, alimentamos uma autoimagem depreciativa e de não merecimento.

Esse estado é o estado da separação e do individualismo, um estado narcísico e egoico em que vemos nossa vida com uma terrível negatividade e fechamos os olhos para tudo e todos à nossa volta, pois só conseguimos enxergar como somos terrivelmente sem sorte, feios e amaldiçoados.

O estado de sofrimento não é um acontecimento ao acaso, mas uma escolha mental, na maioria das vezes inconsciente, claro, mas que vamos cultivando durante a vida.

Estar em estado de sofrimento não quer dizer sofrer por dor física; significa estarmos sendo influenciados por uma carga de tormento mental que nos leva a ver todos os fatos da vida como possíveis problemas.

Vivendo no estado de sofrimento, nós nos sentimos irremediavelmente vulneráveis o tempo inteiro. Tudo que ouvimos pode ser pretexto para crítica, desconfiança e negatividade. Qualquer notícia é vista em primeiro lugar como potencialmente ruim, mesmo que esteja repleta de intenção positiva.

Você já viveu a experiência de dar uma notícia ou mesmo um presente a alguém esperando uma super-reação de alegria e euforia e receber apenas um "obrigado" seco e sem vida?

Conhece alguém que, antes de festejar, comemorar, se alegrar, leva horas ou dias investigando se "não tem nada de errado" com a boa notícia? Como se houvesse sempre uma pessoa atrás dele, tentando fazer algo ruim ou o perseguindo?

Esses são sinais de pessoas que vivem em estado de sofrimento, sempre ancoradas em suas experiências negativas e incapazes de lidar com os próprios fantasmas.

Em estado de sofrimento, experimentamos a sensação de abandono, frustração, tristeza e inveja, pois é um estado de comparação. A vida do outro sempre será melhor, e o pensamento será este: *Por que ele tem e eu não tenho?*

A comparação talvez seja um sintoma comum a todas as pessoas que sofrem internamente. Não é que a vida seja ruim, mas a vida do outro é tão maravilhosa que parece que a minha não é boa. Seu relacionamento é ruim? "Não, mas o da Juliana parece ser tão maravilhoso..."

E talvez a pior parte seja a seguinte: nós nos acostumamos ao estado de sofrimento, ao ponto de pensarmos que somos assim mesmo, que é o nosso jeito. Como se tivéssemos nascido com uma nuvem negra sobre a cabeça.

A boa notícia é que não, não nascemos nem devemos viver a vida inteira em estado de sofrimento. Nós temos escolha e podemos mudar. Esse é o único caminho. Ninguém consegue ver a solução quando os olhos só enxergam o problema.

O outro estado é o estado de equilíbrio. Ele é um estado de "beleza interna", como dizem os indianos.

Nesse estado, há a possibilidade de fazermos a escolha consciente de nos conectarmos com energias de positividade, há uma mente de unidade, de fraternidade, que nos conecta com o outro em essência e com o Universo em todas as suas vibrações. Em outras palavras, se fizer sentido para você, no estado de equilíbrio nós nos conectamos com Deus – mas Deus mora em você, é sua divindade interna.

O estado de equilíbrio é um estado de positividade, amor, alegria e beleza. É um estado em que você não se sente separado ou isolado, mas conectado. Quando sentimos amor, não nos sentimos separados do restante das pessoas, ou seja, não nos limitamos apenas a nós mesmos.

É somente nesse estado que exercitamos nossa empatia em plenitude e escolhemos ver o potencial que temos para resolver por nós mesmos todos os nossos problemas.

Ninguém em estado de sofrimento consegue ver solução para nada. Jamais conseguirá. Se o seu estado interno é de sofrimento, mude-o agora, pois não há nenhuma ferramenta, nenhum método ou truque de mágica no mundo capaz de fazer uma pessoa que sofre enxergar caminhos para seus problemas.

De que estado interno você me lê/ouve agora?

O que eu digo está fazendo sentido para você?

Em estado de sofrimento, talvez você diga: "Tudo isso é bobagem", porque nesse estado não escutamos. A voz e a verdade dos outros não nos interessam.

Estando em estado de equilíbrio, crescemos interiormente, pois esse estado gera maturidade.

Maturidade, para mim, é quando escolhemos aprender e aproveitar. Uma pessoa madura recebe, elabora e aprende com qualquer circunstância da vida. Uma pessoa imatura sofre, reclama e se fragiliza com qualquer situação da vida.

Na realidade, não existe evolução fora do estado de equilíbrio.

O estado de equilíbrio também pode acontecer de forma inconsciente, mas podemos tornar a busca por ele uma escolha consciente, uma prática, um hábito. É possível, mesmo que tenhamos escolhido viver os últimos anos em estado de sofrimento, passar a viver em estado de equilíbrio e de florescimento interior.

No estado de equilíbrio, em vez de memórias de dor e decepções, escolhemos boas lembranças de sucessos e superações.

Em vez de focar o problema, focamos as soluções e agimos.

Em vez do narcisismo, escolhemos a humildade.

Em vez de culpa e comparação, escolhemos honra e respeito para a nossa própria história.

Em vez da indiferença, escolhemos a empatia.

Em vez de nos culparmos pelo passado, escolhemos aceitá-lo e ressignificá-lo.

Em vez do ressentimento, escolhemos o perdão.

Em vez da procrastinação e estagnação, escolhemos a nossa luz, o nosso poder de ação, a nossa sede de mudanças.

Desperdiçamos muito tempo no estado de sofrimento. Esse tempo e essa energia perdidos poderiam ser investidos em projetos e realizações pessoais. Gastamos tempo demais quando estamos ansiosos e sofrendo. Perdemos tempo nos preocupando com coisas que estão além do nosso controle.

A energia gasta com o sofrimento gera, no futuro, a sensação de que não estamos fazendo nada de útil da nossa vida. Num determinado momento, paramos e pensamos: *O que eu conquistei até hoje?*

Em estado de sofrimento, comparação e autojulgamento, pode ser que você responda: *Nada!* Essa resposta é justa com você mesmo? Não conquistou nada? Será que isso é verdade ou é apenas seu sofrimento interno falando? Enquanto não sair dessa tormenta, você não será capaz de enxergar a resposta real.

E como fazer para deixar o estado de sofrimento em busca do estado de equilíbrio?

Escolha, conscientemente, viver em equilíbrio. Racionalize seus sentimentos, emoções e relações.

O que falta para você verdadeiramente se tornar a solução para os seus próprios problemas?

Será falta de valorizar a si mesmo? Será que você se sente preso a memórias do passado? Será que alguém o convenceu de que não é merecedor? Ou acostumou-se tanto ao sofrimento e ao drama que acredita não ser capaz de enxergar a vida de outra forma?

Na realidade, pode ser um pouquinho de tudo isso e muito mais. Essas são perguntas que somente você pode responder de forma sincera e precisa. Na realidade, você já tem essas respostas. As perguntas são formas de fazer emergir as respostas que já estão dentro de nós.

Este é o maior segredo que eu aprendi em minhas viagens à Índia: se não nos libertamos dos efeitos limitantes do estado de sofrimento, não evoluiremos nunca, não construiremos nada neste mundo e nem alcançaremos a verdadeira felicidade.

Estando em estado de equilíbrio, a busca por soluções parecerá, em pouco tempo, algo orgânico, natural, cotidiano. Você passará, gradualmente, a inverter a lógica que vinha construindo: da lógica do problema para a lógica das possibilidades. Nesse estado, tudo nos soa como oportunidade, como esperança.

Mesmo diante de um problema real, tangível, é o nosso estado interno que determina o seu tamanho e a sua complexidade.

Gostaria de compartilhar, para encerrar este capítulo, algo que tem se tornado um pouco mais comum ultimamente: o fato de pessoas com doenças graves decidirem não continuar os tratamentos e cuidarem apenas de sua qualidade de vida até o momento da morte.

Vi uma dessas histórias em um vídeo que chegou a mim por um dos meus colaboradores e fiquei horas pensando e conversando sobre o assunto. Uma senhora tinha um câncer em estágio avançado e optou por parar todo o tratamento, voltar para casa e continuar sua vida cotidiana apenas tomando remédios paliativos para dores e desconforto.

Ela dizia à repórter o tempo todo como sentia-se feliz por não estar mais no ambiente de hospital, tomando remédios fortíssimos que a deixavam enjoada e aérea, sentindo dores causadas pela reação aos medicamentos, fazendo exames que a deixavam horas sem comer, sofrendo com picadas de agulhas, cirurgias intermináveis... Enfim, todo o sacrifício de quem está em um tratamento sério e agressivo.

Ela estava lutando contra a doença havia anos e o câncer sempre reincidia. Até que em um momento sua chance de vencê-lo tornou-se muito pequena, restando-lhe apenas tentar prolongar sua vida. *Mas que vida?*, ela se perguntava. Valeria a pena prolongar aquela vida que levava?

Essa senhora preferia estar em casa com seu cachorro, em sua cama, comendo o que gostava todos os dias, recebendo visitas, saindo de carro para um lugar ou outro e... aguardando o momento de fazer a passagem.

Ela estava feliz, sentia-se bem, confiante e resignada, mas muitas pessoas não a entendiam.

Havia uma série de comentários de pessoas julgando sua decisão e dizendo que ela estava errada, que deveria continuar o tratamento com seriedade, que não pensava nos filhos.

Diante da morte iminente, diante de um tratamento agressivo e de uma doença terminal, como você decide viver?

Você enxerga a doença a partir de qual estado interno?

Sim, até situações muito graves, como as que envolvem a iminência da morte, podem ser vistas de um estado interno de equilíbrio, aprendizado, amor, conexão, alegria, beleza e leveza.

Acontece que, para nós, o sofrimento é quase uma regra. Quem nunca questionou, em um velório, se fulano da família está "realmente sofrendo"? *Duvido que esteja sofrendo, não chorou nenhuma vez.*

Para nós, a regra é sempre sofrer. Além disso, o sofrimento deve ter o mesmo padrão: choro e desespero.

Se alguém lhe perguntasse em qual estado interno você se encontra neste momento, querido ser de luz, o que você responderia?

Talvez você ainda esteja receoso, pensando consigo mesmo: *Essa conversa de que todos podem ser a solução para seus próprios problemas é bonita, porém duvido que funcione*, ou ainda: *Isso não é para mim, nunca iria funcionar em minha vida.* Essas dúvidas são comuns, mas talvez você esteja em total estado de sofrimento e sinta que o tempo todo alguém está tentando enganá-lo.

Não estou querendo enganá-lo, muito pelo contrário. Quero apenas convidá-lo a pensar sobre si mesmo. Será que isso é uma "conversa fiada" ou será que você prefere continuar duvidando do seu merecimento e da sua capacidade?

Acredite em mim, esse conhecimento pode ser a chave para mudar a forma como você vive sua vida. Aprenda a identificar seu estado interno. Saiba questioná-lo. Busque se libertar dele, caso ele lhe cause limitação.

Em estado de sofrimento, de que adianta alguém ter 1 milhão de reais na conta?

Em estado de sofrimento, o que significa ter uma família amada e querida, se você nem sequer saberia reconhecer isso?

Em estado de sofrimento, qual o sentido de ter uma casa grande e o carro do ano?

Em estado de sofrimento, o que significa ter um bom emprego?

Em estado de sofrimento, nada, nem o dinheiro, nem o melhor carro do mundo, nem nenhuma posse ou bem material pode ajudá-lo a ser feliz.

Quer ser você mesmo a solução para os seus problemas? Você já sabe que deve separar os problemas reais dos imaginários, conectar-se com seu estado de equilíbrio e... aprender a contar uma nova história da sua história.

A HISTÓRIA QUE VOCÊ CONTA DA SUA HISTÓRIA

Só vivemos no tempo presente.

Essa máxima com certeza não é nova para você e ultimamente tem sido repetida à exaustão. Contudo, quero lhe passar a minha percepção de viver o presente.

Caso você esteja lendo este livro sentado em alguma poltrona, no seu sofá ou mesmo no banco do ônibus ou do metrô, coloque toda a sua atenção nos seus pés. Coloque seus dois pés no chão, sinta as terminações nervosas deles se conectando com a superfície que os sustenta neste momento.

Então, respire. Sinta o ar entrando pelas suas narinas, alimentando todas as suas células, expandindo seu abdômen e, em seguida, saindo de você. Com esse exercício simples, você toma consciência do hoje. Respiração é hoje. Você só consegue respirar no presente. Nem no passado, nem no futuro.

A respiração nos dá consciência do presente como estado físico; no entanto, tudo que somos no presente é fruto da interpretação que temos do nosso passado – isso é construção de sentido. Isso porque a percepção que temos de quem somos se materializa na nossa forma de contar e compreender a nossa história pessoal. Dito de outra forma, a estrutura da nossa narrativa pessoal determina não só o nosso presente, como também nossos próximos passos.

Toda narrativa, como estrutura de linguagem, busca organizar os fatos no tempo e no espaço. Quando narramos, construímos os personagens (mesmo os reais), enfatizamos algumas ações e esquecemos outras, ressaltamos determinadas características e não outras.

Se isso é verdade para as narrativas de ficção, também o é para as narrativas históricas, reais.

Nós somos seres de linguagem. Todo ser humano se constitui por meio da linguagem. Sabemos isso pela filosofia, com Nietzsche, pela psicanálise, desde Freud, pela linguística, com vários pensadores.

Constituímo-nos na linguagem porque é apenas por meio dela que conseguimos exprimir o mundo e, portanto, existir de fato.

Ao chegarmos a um lugar, para que as pessoas saibam quem nós somos, precisamos, de alguma forma, falar sobre nós – ou seja, usar a linguagem. E, mesmo para os que acreditam que conhecemos uma pessoa pelos seus atos, e não pelo que ela diz sobre si, nossos atos são sempre linguagem. Nosso comportamento é linguagem, nosso modo de nos relacionarmos é linguagem.

A linguagem nos constitui, nos revela às pessoas, mas é, sobretudo, uma ferramenta de construção de nós mesmos. Ser e dizer quem somos é exatamente a mesma coisa. Um é constituidor simultâneo do outro.

Quem nunca ouviu dizer que ao contarmos uma mentira muitas vezes passamos, nós mesmos, a acreditar nela?

Somos exatamente o que contamos sobre nós. E, ao narrarmos nossa própria história para os outros, acreditamos muito mais nela, nos tornamos autores de nós mesmos, fazemos uma autoconstrução. *Eu me conheço mais quando falo sobre mim.*

E então, que história você conta da sua história? Você está contando a melhor versão da sua história? Quais crenças você tem sobre si mesmo e que imagem de você essas crenças produzem nos outros quando ouvem sua história?

Tanto os problemas imaginários – os que criamos na nossa mente – quanto o estado interno de sofrimento têm muito a ver com fazer uma autonarrativa que foque uma história ruim de nós mesmos.

Isso acontece por uma série de fatores; podemos aqui conversar sobre alguns.

Ao contar uma história real, assumimos uma posição nessa história. Não há neutralidade do narrador, ele está sempre empenhado, mesmo que inconscientemente, em construir a narrativa de forma a determinar a interpretação do interlocutor.

Ou seja, construímos uma narrativa para atingir, por parte do interlocutor, uma interpretação que atenda às nossas expectativas.

Podemos contar nossa história para que o outro tenha uma sensação de pena pelo sofrimento por que passamos na vida e se compadeça de nós, ou podemos contar nossa história (a mesma história, os mesmos fatos) para que o outro perceba como fomos inteligentes e sagazes para superarmos todos os problemas que surgiram em nossa vida.

O fato é que, quando nos acostumamos a contar a nossa história com foco no sofrimento, na tristeza e na escassez, passamos a acreditar que essa é a nossa verdadeira história e aos poucos nos tornamos incapazes de contá-la a partir de outro viés.

Assumimos, como narradores, uma posição diante de nossa história, esperando construir uma imagem. Mas acabamos assumindo para nós mesmos a imagem que pretendemos gerar para os outros. No final, temos pena de nós mesmos, acreditamos que o que nos define é o sofrimento e a tristeza.

Veja: quando você é forçado a falar sobre si, seja na apresentação pessoal no início de uma formação qualquer ou na terapia, escolhe um começo. Depois do seu nome, da sua idade, do seu estado civil, qual é a primeira coisa que você costuma falar a seu respeito?

Você pode escrever, para que faça mais sentido?

_____

_____

_____

O começo é importante porque nossa memória não funciona aleatoriamente; ela tem uma ordem, um critério, logo, as informações que são mais rapidamente acionadas por ela têm um peso maior dentro da nossa autoconstrução.

Claro que o começo de nossa narrativa pessoal muda conforme o tempo ou a ocasião, mas é importante conhecermos um dos padrões desse repertório.

A partir desse começo, seguem-se fatos. Muitas coisas acontecem na nossa vida. Vivemos um universo todos os dias. Todos tivemos uma infância, uma adolescência, uma juventude... daí por diante. Cada fase de nossa vida teve suas marcas, mas há fatos dos quais nos lembramos e fatos de que nos esquecemos.

Entretanto, é importante saber que esquecer não é o mesmo que ocultar.

Ocultação é quando um fato está fresco na nossa memória e por escolha consciente decidimos não contá-lo. Ocultar é uma decisão nossa, e cada um tem seus motivos para ocultar fatos de sua vida.

Esquecimento é outro recurso de nossa mente, a qual, sem que tenhamos consciência, "esquece" uma infinidade de fatos e conteúdos. Esse esquecimento é um apagamento natural da memória, que afasta de nós situações que considera menos importantes.

Imagine se lembrar de tudo que lhe acontece. Imagine cinquenta anos de memória. De acordo com o neurocientista Ivan Izquierdo no livro *A arte de esquecer*, não há HD humano que resista. Por isso, a memória "esquece" mais coisas do que registra.

Há critérios para esse esquecimento, claro, e um deles são as emoções que envolvem os fatos da nossa vida. Quanto maior a emoção envolvida no fato, menores as chances de ele ser esquecido. Isto é, nos lembramos mais facilmente do que nos provoca fortes emoções – para o bem e para o mal.

Acontece que, não raro, crescemos colocando muito peso nas dores e pouco peso nas alegrias. Vamos construindo nossa história com as memórias das emoções negativas, e elas passam a pautar nossa autonarrativa.

Se essa foi a tônica da nossa vida, é comum que, ao contarmos nossas histórias, relatemos os contos trágicos carregados de emoções e significados dramáticos.

Então, ao contarmos nossas histórias, devemos ocultar os fatos trágicos?

Não.

Nossa história é nossa história e ponto.

O problema não é o que aconteceu conosco, mas o peso que damos aos fatos quando contamos o que aconteceu. Você não precisa reviver a dor toda vez que se lembra dela, entende?

É preciso mudar a posição do observador, mudar a lente e a estrutura das nossas narrativas. E essa mudança é interna. Ninguém pode ser por fora o que não é por dentro.

Preste atenção: quando você conta sua história, que imagem espera que as pessoas tenham de você?

Ao contar sua história, como é o começo?

Você é capaz de encontrar fatos quase esquecidos, aos quais sua memória deu pouca importância, mas que foram momentos bons, tranquilos, em que você se sentiu em paz e com um grande bem-estar?

Será que não é preciso ressignificar as vitórias às quais você deu pouca atenção porque pareciam pequenas e irrelevantes e entender como você foi incrível naquele dia?

Em quais dias você se sentiu o máximo? O que você fez que lhe proporcionou a melhor impressão de si mesmo? Você conta isso sobre você?

É preciso contar uma nova história da nossa história. Estruturar essa história e descrever pessoas e lugares de uma forma nova. É preciso mudar a perspectiva que temos sobre nós mesmos.

Ao falar sobre nós mesmos, a linguagem assume algo de sagrado. Nossa autoconstrução carrega a sacralidade da nossa existência, mesmo (ou sobretudo) quando estamos apenas na narrativa pessoal.

A imagem que construímos de nós em nossas narrativas deve carregar nossos valores e nossas virtudes. Construindo essa narrativa, passamos a construir uma nova verdade, em que nós mesmos podemos acreditar.

Se podemos nos constituir pela linguagem, que ela seja edificante.

Quando não contamos a melhor história sobre nós mesmos, acabamos não nos valorizando como deveríamos. Acreditamos em nossas fraquezas, em nossas incapacidades, e criamos uma atmosfera de insucesso.

Contar a melhor história de nossa história pode ser a chave para resolver uma série enorme de problemas, relacionados sobretudo à nossa autoestima, mas principalmente ao nosso desejo de sermos vistos como fortes e capazes, e não como frágeis e problemáticos.

Não gosto e evitarei ao máximo um termo comum no momento, que é "vitimismo". Esse termo passa a falsa impressão de que ser vítima de algo é uma falácia, ou que gostamos de nos passar por vítimas. Eu verdadeiramente acredito que, quando insistimos na posição de vítima, estamos reproduzindo um padrão mental negativo do qual não temos consciência, no entanto, mais que isso, acredito que somos vítimas de muitas coisas todos os dias.

Somos vítimas de inúmeras injustiças, de violência, de descaso, de abandono. Sim, as vítimas existem, e somos nós. Porém assumir o lugar de vítima como principal significado sobre si mesmo é uma escolha.

Pintar uma imagem de vítima é o único caminho possível para alguém que passou a vida toda vendo o copo meio vazio, o dia sempre meio cinza, as pessoas sempre meio falsas. Dentro desse espectro, dificilmente vamos valorizar nossos ganhos.

Mas as pessoas morrem, nossos pertences são roubados, a grana acaba, somos demitidos... Sim! E todas as vezes que isso lhe aconteceu, você se superou, ou não estaria aqui.

Toda história pessoal tem fracassos e perdas, mas também tem ganhos e vitórias. Toda narrativa exclusivamente maravilhosa ou exclusivamente sofrida e angustiante é falsa. É o seu modo de contar que não enxerga (ou enxerga e não enfatiza) todos os fatos e suas respectivas emoções.

Passe a enfatizar, na sua história pessoal, o que você aprendeu e conquistou, as pessoas que conheceu, as que nasceram, as que chegaram, os sorrisos que deu e provocou. Passe a narrar sua história... construir-se... ser autor de si mesmo a partir de uma nova narrativa.

A auto-organização, ou a construção de si mesmo, é um princípio da nossa subjetividade. É algo natural e posto, dentro de todas as ciências que lidam com a evolução humana. Cabe aprendermos a usar isso como ferramenta de construção de um novo "eu", aquele que quer as soluções em vez dos problemas.

Somos criadores de nós mesmos. Aceitando essa verdade, somos capazes de enfrentar nossas culpas, nossos medos e nossas ansiedades.

LIBERTE-SE DO MEDO, DA ANSIEDADE E DA CULPA

Com medo, deixamos de fazer, de agir, e nos retraímos.

Ansiosos, deixamos nossas emoções e expectativas impactarem negativamente a nossa performance.

Culpados, não reconhecemos nosso direito de errar e seguir em frente.

Desde muito cedo, quando comecei minha experiência de prática profissional, pude constatar que existem alguns sentimentos que são extremamente nocivos para a resolução ativa de problemas. Eles são o medo, a ansiedade e a culpa. Muitas pessoas não conseguem tomar decisões assertivas e buscar soluções justamente pela ação desses sentimentos.

O medo é gerado principalmente pela incerteza, pelo desconhecido ou por um conhecimento já cristalizado sobre algo que mexe com nossas estruturas mentais mais primárias e primitivas. O medo do desconhecido é algo comum a todos nós, apenas diverso na intensidade. Eu já me deparei com esse medo inúmeras vezes, tanto em mim mesmo quanto em vários *coachees* que atendi, e conheço suas características.

A ansiedade e a culpa têm suas particularidades também, mas quase sempre aparecem associadas ao medo. O medo gera ansiedade, que pode prejudicar a performance e a obtenção de resultados, o que, por sua vez, gera culpa. Essa cadeia de nexo causal não é necessariamente uma regra, mas eu posso afirmar que é algo com que inúmeras pessoas têm de lidar cotidianamente. Isso aparece de muitas formas, por meio de queixas, perguntas e até patologias.

Quero compartilhar com você um pouco a respeito de como reconhecer os próprios medos, ansiedades e culpas, para que você compreenda que esses sentimentos precisam de atenção. Medo, culpa e ansiedade são problemas que causam problemas, e você pode conseguir resolvê-los. Conhecer-se é a chave para curar-se.

O medo

Você com certeza já sentiu medo. Seria, então, capaz de descrevê-lo com palavras? O que acontece quando você sente medo? Como fica sua fisiologia? Como o seu corpo reage? Você transpira? Seu coração dispara? Você grita ou fica paralisado?

Todo organismo precisa lutar para se manter vivo, por isso toda sensação de medo vem acompanhada de uma reação fisiológica. Do mais simples organismo vivo até o mais complexo, a vida é uma luta constante. Nosso cérebro possui uma rede de configuração complexa para se resguardar de vários tipos de perigos e ameaças, e um dos mecanismos usados nesse sistema de segurança mental é justamente o sentimento de medo.

Conceitualmente, podemos definir o medo como um sentimento que nos deixa intimidados, ameaçados. O medo não é do presente, mas do futuro. Não temos medo do que está acontecendo, temos medo do que pode acontecer, tanto física quanto psicologicamente.

Mais uma vez, voltamos à separação entre real e imaginário (ou entre o que é tangível e o que é intangível). Temos medo de coisas reais, como altura, porque podemos cair e morrer. Temos medo de um bicho feroz porque podemos ser atacados. Temos medo de assaltos e da violência. Para todo medo real, há uma solução pragmática: para o medo de altura, usamos equipamento de proteção que evite uma queda; para o medo de um animal, evitamos nos aproximar ou corremos; para o medo de assaltos, recorremos a diversos sistemas de segurança.

Mas existe um medo que não está ligado a algo tangível. Ele vive dentro, e não fora, de nós. É assim o medo de falar em público, porque temos medo do erro e da vergonha causada por esse ato; o medo de declarar-se e ser rejeitado; o medo de postar uma foto nas redes sociais e ser criticado.

Com tanta variedade de causas, situações e efeitos, pergunto a você: o que podemos perceber de comum nesses casos? Qual é a característica que une todos esses medos?

Todos os nossos medos se baseiam na possibilidade de algo ruim acontecer. Em outras palavras, temos medo do que nossa mente acredita que pode nos acontecer. É como se ela antecipasse, inconscientemente, todos os desfechos possíveis para as situações que enfrentamos e focasse nos piores.

O medo instintivo é obviamente uma resposta natural do nosso organismo e é importantíssimo para a nossa sobrevivência, mas só uma pessoa com autoestima muito baixa pode pensar que o medo é mais forte que seu potencial interno. Logo, uma pessoa que se torna solução de problemas conhece e respeita seu medo, mas reage a ele, lidando com o sentimento e não sendo controlada por ele.

Quando você sente medo, também é afligido por um sentimento de incapacidade e fraqueza. É como se o objeto que lhe causa medo fosse muito maior que você.

Essa impressão de que o medo é maior do que você é capaz de destruir a autoconfiança de qualquer pessoa, e isso não é consciente, acredite. Se você já passou por isso, sabe bem que, por mais que não queiramos ter medo, por mais que não queiramos nos sentir ameaçados, a nossa mente libera essas emoções independentemente da nossa consciência.

A solução? Reagir racionalmente ao medo, diminuindo de maneira consciente o poder das emoções e racionalizando a situação.

Não importa qual seja o seu medo, se falar em público ou iniciar um novo projeto, chega um momento em que você precisa resistir e encarar essas situações. Se estiver com medo, vá com medo mesmo!

O fracasso só se torna um medo para pessoas cuja expectativa pessoal e familiar pesa muito. Fracassar é comum. Eu já passei por três grandes crises financeiras. Fechei empresas. Fali. Mas, se tivesse medo de fracassar novamente, não seria o empresário que sou hoje.

Caso você pegue o microfone para falar em público e erre, qual o problema? Vão rir de você? Vão comparar você com outras pessoas? E quem nunca foi vítima de risadas? Quem não sofre comparação ou compara o tempo todo?

A vida é erro e acerto. Enfrentar o erro é humanizar-se.

Com o tempo você perceberá que fazer essas coisas que dão medo não é nada de outro mundo. Pode ser que você nunca esteja totalmente preparado, mas a verdade é que ninguém está. Esteja preparado o suficiente e insista. Ouse se expor.

A única forma de obter sucesso é se expondo a situações que podem ser tanto bem-sucedidas quanto malsucedidas, aceitando seus resultados, entendendo suas reações emocionais e aprendendo a lidar com elas.

Qual é o seu maior medo?

_____

_____

_____

Que ferramentas você vai usar para lidar com ele?

_____

_____

_____

A ansiedade

É preciso diferenciar entre a ansiedade que sentimos quando, por exemplo, esperamos uma notícia e a ansiedade que caracteriza um transtorno. Assim como o medo, todos nós passamos por momentos de ansiedade. A maioria das pessoas tem episódios de ansiedade passageiros, e isso é natural, não implica um problema mais grave.

Em nossas vidas, criamos muitas expectativas e temos medo de essas expectativas se frustrarem. A ansiedade é um excesso de futuro, é um não estar no presente.

A ansiedade relativa à espera é um sentimento que pode gerar desde uma sensação gostosa de aguardar o resultado de algo ou alguém que está chegando, criando um mistério e uma expectativa boa, até um sentimento de taquicardia, falta de ar, angústia e desespero.

Para a ansiedade do dia a dia, basta prestar atenção na sua respiração e nos seus pés. Sua respiração e o chão abaixo dos seus pés o colocam imediatamente no momento presente. Para uma ansiedade cujos efeitos no corpo são grandes demais, desproporcionais ao resultado do que se aguarda, é necessário ter mais atenção e cuidado.

Uma quantidade moderada de ansiedade serve para aguçar os sentidos e os reflexos, além de aumentar o estado de alerta e a eficácia em certas tarefas. Bons artistas, atletas, palestrantes e oradores, por exemplo, precisam dessa ansiedade moderada para realizar uma boa performance.

Essa ansiedade é como aquele friozinho na barriga que sentimos antes de entrar no palco e que continua enquanto estivermos nele. Mas é uma emoção que impulsiona nosso desejo de fazer o melhor possível, de dar tudo de nós.

Agora que já entendemos essa parte, vamos para onde os problemas verdadeiramente começam.

Os problemas de ansiedade surgem quando as respostas do nosso sistema de alerta se desequilibram. Em outras palavras, ela se torna um problema quando toma proporções maiores do que as necessárias.

Uma situação que causaria apenas um leve incômodo para algumas pessoas pode se transformar em um verdadeiro calvário para os ansiosos. Essa reação desproporcional de ansiedade exagerada leva a pessoa a ter episódios de insônia – ou de perda de qualidade do sono –, fadiga e preocupação excessiva.

Esses sintomas podem começar bem sutis, quase imperceptíveis. Porém, se ignorada, a ansiedade vai se instalando e crescendo aos poucos. Quase sempre só percebemos que temos um problema de ansiedade quando ela já está em níveis excessivos. Aí surgem aqueles pensamentos limitantes, do tipo *eu não sou capaz* ou *eu não vou conseguir*, entre outros.

Mas, mesmo quando a ansiedade não é um transtorno, há momentos em que ela acaba prejudicando a vida de todos nós e causando outros sentimentos desagradáveis. Digamos, por exemplo, que alguém tenha se saído mal em uma avaliação da faculdade, ou mesmo em uma prova para tirar a habilitação, por ansiedade. É provável que, ao receber o resultado, mesmo já sabendo que é ruim, haja nova sensação de revolta e frustração – talvez ainda mais forte. Isso porque o resultado gerado pela ansiedade é a tristeza.

Ficamos bravos conosco quando deixamos a ansiedade nos atrapalhar. E sabe por quê? Porque sabemos que podemos controlá-la. Nosso cérebro sabe que está sob o nosso comando.

A ansiedade gera problemas. Pessoas ansiosas em demasia se tornam parte do problema, e não parte da solução.

E como controlamos a ansiedade?

Primeiro, entendendo os acionadores desse sentimento. Mapeando os episódios, você consegue entender o que causa maior ansiedade em você, e em que nível. Talvez sua ansiedade esteja relacionada ao seu trabalho ou ao seu casamento (ou à procura por casamento), aos filhos, à sua casa...

Depois, uma vez que tenha compreendido esses momentos, encontre em você os pontos de melhoria. Se meu casamento me causa grande ansiedade e sofrimento, o que precisa ser mudado, como posso resolver a situação? Se minha ansiedade é gerada no trabalho, será que meu trabalho continua fazendo sentido para mim?

Por fim, quando o sofrimento gerado é grande demais para enfrentar sozinho, busque ajuda. Buscar ajuda também é buscar solução. Há situações em que é preciso uma intervenção com medicamentos, em paralelo com ajuda terapêutica, por exemplo. Lembre-se de que ajuda médica não é sinal de fraqueza, ao contrário, é sinal de que você está fazendo algo por si mesmo.

A culpa

O sentimento de culpa é uma ferida aberta na alma.

Como sempre digo, todo ser humano tem o direito de errar. Você, que está lendo este livro agora: saiba que você tem o direito de errar.

Também costumo dizer que por trás de todo erro existe sempre a intenção positiva de acertar. Ou seja, você sabe que fez o melhor que podia com o que tinha e sabia naquela determinada situação, e mesmo assim você se sente culpado quando erra. Isso acontece porque não aceitamos a nossa dualidade.

Você é bom e mau, bonito e também feio. Você erra e não deve se culpar por algo que é naturalmente humano.

A culpa, ao contrário da ansiedade, é um excesso de passado.

Infelizmente, o ser humano ainda não inventou uma máquina do tempo com a qual possa fazer uma viagem ao passado e mudar as coisas. Já parou para pensar em como os arrependimentos e as mágoas doem mais que os fatos em si?

Temos dificuldades em assumir nossos erros porque não gostamos de estar errados. Manter a culpa e continuar se martirizando por algo que não se pode mudar é prolongar o sofrimento. Isso interfere diretamente em suas ações no presente e funciona como um bloqueio, impedindo que você alcance o estado desejado.

A culpa surge como consequência de uma ação ou de um comportamento que tivemos e que consideramos errado. Quando fazemos algo que quebra algum valor que já tínhamos estabelecido internamente, sentimos culpa.

A culpa está diretamente relacionada com a nossa concepção moral do mundo. O único lado bom é que o sentimento de culpa pode servir para nos mostrar quando precisamos mudar de comportamento, pois nos faz ver que nossas atitudes não estão em congruência com as nossas crenças.

A culpa tem apenas uma solução: o autoperdão. E o autoperdão só é possível quando aceitamos que somos falhos e que isso não nos torna menores que os outros.

Nós somos nossos maiores críticos. Por isso é necessário olhar para dentro de si com olhos de amor, de aceitação e de perdão. Perdoando a si mesmo, você se desconecta do peso que o puxa para baixo, valoriza seu ser e sua história e aprende a agradecer em vez de se culpar.

A melhor maneira de seguir nesse processo de autoperdão é, primeiramente, reconhecer o que nos causa o sentimento de culpa, quais foram as falhas que cometemos. Em seguida, devemos valorizar a nós mesmos, entendendo que somos passíveis de erros e podemos falhar. Entendo que hoje você poderia ter uma atitude diferente, mas, naquele momento, não.

Racionalizando e enfrentando o medo, controlando a ansiedade e compreendendo nosso direito de errar, estamos prontos para ajudar o mundo a ser melhor, sendo agentes de mudança e buscando soluções em vez de cultivar problemas.

TORNE-SE UM AGENTE DA TRANSFORMAÇÃO DO MUNDO

Vivemos em um mundo cheio de problemas, e estes são reais, não imaginários.

Todos os dias surge uma nova preocupação: os recursos naturais estão findando, a falta de água potável é uma realidade que nos ronda, o lixo marinho toma um tamanho nunca visto, a economia capenga e o aumento do desemprego são matéria de jornal todos os dias.

A sensação de que as pessoas em geral têm é de que o mundo está em desalinho. Há, nesse momento, uma desesperança em todos. É uma fase crítica em que o futuro gera mais preocupação do que sonhos, e esse é um fator que adoece.

É claro que eu poderia dizer que isso também é um padrão mental, afinal, é a nossa forma de atribuir cargas negativas muito pesadas aos acontecimentos, em vez de usar o tempo buscando soluções, que provoca sentimentos ruins. Mas quero mesmo falar sobre como nós agimos diante de algo que consideramos um problema coletivo real. Para tanto, preciso começar explicando a você sobre os sistemas.

Chamamos de sistema a nossa família, o nosso grupo de amigos, a empresa em que trabalhamos, a igreja que frequentamos, a turma do futebol no fim de semana, do colégio ou da faculdade, o condomínio em que moramos, nossa cidade, nosso estado, nosso país... Sistemas são grupos onde cada um está tanto como pessoa, sujeito, quanto como parte de um processo, assumindo um papel – e papéis diferentes em cada sistema.

Integrar sistemas é inevitável, pois já nascemos em um: a família. É da nossa natureza humana e social compor os sistemas, e é uma necessidade subjetiva nos sentirmos pertencentes a esses sistemas.

A sensação de fazer parte, de estar conectado a um grupo, um lugar, uma tarefa, é poderosa e gera sensação de significado profundo. Desde muito pequenos buscamos a "nossa turma", aquele grupo com o qual nos sentimos identificados e em meio ao qual experimentamos uma rica sensação de bem-estar.

Os significados que atribuímos à nossa vida, à nossa existência, ficam mais claros quando compreendemos os grupos aos quais nos vinculamos e assumimos nossos papéis no mundo. Dentro de cada sistema temos um papel, e a cada papel, uma nova carga de responsabilidade, mas também de aprendizado.

Alguns sistemas nos são impostos pela própria condição de estarmos vivos, como a família; outros sistemas vão se constituindo no decorrer da nossa vida, como a escola e o trabalho. Isso faz com que alguns papéis tenham mais sentido do que outros (em geral, os que não são impostos) e desequilibra nosso empenho em cada um deles.

Os papéis impostos podem gerar sofrimento; os papéis que escolhemos assumir, prazer e satisfação.

É importante perguntar: você compreende, honra e respeita os papéis que exerce em cada um dos seus sistemas?

Entre os meus papéis, por exemplo, há o de filho, o de irmão, o de pai, o de empresário, o de escritor, o de mestre de coaching, o de amigo, o de cristão, o de cidadão de uma cidade, um estado e um país.

Cada papel que assumo na vida significa um sistema ao qual pertenço. A minha participação é definidora de como cada sistema vai se comportar, do seu sucesso e do seu fracasso, dos seus rumos e, inclusive, da sua extinção.

Eu pertenço (forçosamente ou não), logo, o resultado também é meu.

Quando não exerço um bom papel de pai, crio um indivíduo que não estará substancialmente preparado para o mundo. Não entenderá de afeto, de troca, de responsabilidade, tampouco de liderança e hierarquia. Esse sujeito pode, por conta de ter tido um pai descuidado, tornar-se alguém incapaz de amar o outro, de ser honesto, de ser líder.

Então, não ter valorizado o sistema familiar e não ter exercido o papel de pai podem criar um problema maior, sobretudo para as outras famílias com as quais esse filho vai conviver, como marido, como amigo ou como funcionário nas empresas onde vai trabalhar – ou não trabalhar.

O meu sistema de família e o meu papel como pai impactam o mundo, e não apenas o meu grupo.

Quando alguém assume o papel de empresário, enfrenta uma máquina que tem, de um lado, a mão pesada da burocracia fiscal e, do outro, a complexidade do universo humano. Pessoas e processos.

O sucesso de uma empresa não pode ser senão o equilíbrio entre ambos. Caso eu não saiba lidar bem com pessoas, jamais construirei um time que me ajude a alcançar os mais extraordinários resultados.

Caso eu não lide bem com as finanças e as burocracias fiscais, a empresa pode não se sustentar e falir, posso tomar o mau caminho da sonegação e não contribuir para toda a engrenagem da arrecadação de impostos, prejudicando todo o sistema tributário e a prestação de serviços públicos.

Talvez você pense que é muita responsabilidade ser o responsável pelos problemas da família, da empresa, do grupo de amigos, da igreja, da cidade... Mas não estou dizendo que você precisa carregar todos nas suas costas, até porque, se tentar fazer isso, as chances de dar tudo errado são maiores. Cada um é responsável pela sua própria vida, é claro, mas quando uma pessoa do sistema desperta e muda, o resto acompanha essa mudança.

É inevitável: uma pessoa desperta modifica todas as que estão em volta. As que não mudam abandonam o sistema.

Uma pessoa se desperta quando descobre o seu verdadeiro papel dentro dos sistemas e a diferença entre compor e pertencer. Assim, os papéis e os sistemas ganham real significado e todas as mágicas acontecem. O sentimento de pertencer se torna suficientemente forte para gerar ação e mudança.

Você se sente pertencente à sua família? À igreja que frequenta? À equipe que trabalha com você?

Quais sistemas você apenas compõe e a quais sistemas você sente que realmente pertence?

Estamos no meio de uma necessária, mas dolorosa transição histórica: a transição entre a consciência do "eu" e a consciência do "nós", a consciência de que nós impactamos o mundo – negativa e positivamente.

As famílias que se dissolvem, as empresas que vão à falência, a cidade que não funciona, a natureza que se esvai, o clima que muda, as epidemias, a violência. Todos esses fenômenos são fruto da ação humana, do impacto negativo do homem no mundo.

Tudo bem, a tecnologia, a descoberta de fontes renováveis de energia, as ações humanitárias em todo o mundo, as conquistas de direitos também são ações humanas, impactos positivos do homem no mundo.

Veja que o mundo segue nos impactando e sofrendo o nosso impacto. É um afetar-se mútuo – afeto!

O verdadeiro despertar, ou iluminação, nos leva à consciência da coletividade que, inequivocamente, gera a inconformidade, sentimentos de empatia e pertencimento tão profundos que se torna impossível não sentir as dores deste mundo.

Então, a inércia torna-se insuportável.

Pessoas que não conseguem ficar inertes às injustiças do mundo, que se sentem pertencentes ao mundo de tal forma que se responsabilizam por ele, são reconhecidas como transformadoras, como aquelas que criam mecanismos de mudança para cada realidade.

O mundo tem problemas? Seja você parte da solução.

Um agente da transformação do mundo desperta amor e compaixão ilimitados e impacta todas as gerações que estão por vir. A presença de uma pessoa transformadora impacta todos os que compõem os mesmos sistemas. Elas são criadoras de mudanças, manifestando-se como líderes.

Reclamar ou conformar-se não ajuda o mundo a ser melhor e não o coloca no caminho de evolução pessoal que todos buscamos. Um ser que alcança a consciência do "nós" não se conforma com o mundo, mas age nele, atua em sua transformação.

Alguém que fecha os olhos para a pobreza não transforma o mundo. Alguém que não percebeu que precisamos diminuir o uso do plástico não transforma o mundo. Alguém que age para que, ao menos no seu campo de alcance, as pessoas tenham alguma dignidade e vivam com o mínimo de qualidade torna-se um transformador. Essa pessoa é (ou se propõe a ser) parte da solução, e não do problema.

Uma pessoa que prefere comprar produtos artesanais e de pessoas próximas ajuda a transformar o mundo, assim como o empresário que paga um valor justo aos seus colaboradores.

Além disso, há uma verdade irrefutável: a transformação social vem da transformação pessoal. É a mudança da sua forma de pensar e dos seus hábitos que azeita a engrenagem da transformação da sociedade.

Isso também é proatividade, sentir que você tem o controle e que, portanto, a iniciativa deve ser sua.

Você toma iniciativa e age ou se conforma?

O que o nosso mundo precisa é transformar todas as pessoas em agentes da mudança. É gerar o sentimento de pertencimento e responsabilidade. É cultivar solucionadores em vez de problematizadores.

Isso pode começar desde cedo. Quando seu filho lhe traz um problema, como alguém que falou uma coisa ruim a ele na escola, você assume a responsabilidade e resolve ou devolve o problema a ele dizendo: "O que você acredita que pode fazer a respeito?"?

Não fomos criados para solucionar problemas, e isso precisa ser mudado.

Os problemas do mundo, os que nos atingem coletivamente, mesmo que pareçam grandes demais, são também responsabilidade nossa. A cidade e o país são sistemas nos quais estamos inseridos e exercemos nossos papéis. O resultado desses sistemas também é resultado de nossa ação a partir deles.

Quando nos responsabilizamos, exercemos nossos papéis nos sistemas, nos sentimos pertencentes, provocamos a transformação.

Experimente ser a transformação da sua casa ou da sua equipe de trabalho – talvez estes sejam os sistemas que mais impactamos cotidianamente. Seja a transformação da sua igreja e do seu grupo de amigos.

O que você precisa fazer hoje para ajudar a resolver os problemas da sua casa, do seu bairro, da sua cidade, da sua empresa, em vez de apenas apontá-los e reclamar deles?

Ao terminar de ler este capítulo, qual será sua primeira atitude?

Quais problemas, supostamente coletivos ou "dos outros", mais o incomodam hoje? E no seu condomínio? Na sua cidade? Na sua empresa? Que projeto você pode sugerir?

Por fim, é importante dizer que há um pensamento comum segundo o qual *sozinhos não podemos mudar o mundo*. Eu pergunto: quem disse?

Esse pensamento corriqueiro tem uma intenção positiva, de nos fazer sofrer menos e cuidar da nossa própria vida. Mas ele também coloca uma venda sobre nossos olhos, provoca insensibilidade e frieza em nós.

Ser um agente da transformação do mundo exige que saiamos de nós mesmos. Isso é fácil quando já estamos com nossas dores curadas e tratadas. Enquanto você estiver submerso nos seus problemas, nas suas culpas, nos seus medos, nos seus traumas, nas suas dificuldades, nas "perebas" da sua vida, você realmente precisa ajudar-se primeiro. Não dá para ajudar o mundo estando com sua vida interior tão caótica.

O outro lado da moeda é que um jeito simples de perceber que estamos lidando melhor com nosso mundo interior, que estamos conseguindo encontrar equilíbrio emocional para curar nossas próprias dores, é observarmos se temos força suficiente para ajudar o próximo. Isso significa que estamos mais fortes e capazes.

Se você consegue organizar o seu próprio mundo, pode ser um agente de mudança, um agente transformador da realidade.

Você acredita que esteja maduro o suficiente? Quero lhe apresentar os traços da maturidade humana.

OS 7 TRAÇOS DA MATURIDADE HUMANA

Maturidade é algo que nós, adultos, adoramos ostentar. Vivemos julgando os imaturos e usando essa palavra como uma forma de ofender alguém. Maturidade, então, está ligada à idade adulta, assim como a imaturidade está ligada à infância.

Embora esse pensamento simplista seja o mais corriqueiro, é claro que sabemos que a relação entre idade e amadurecimento só pode ser diretamente usada quando se trata do corpo, do organismo, que, em determinado momento estará completamente desenvolvido. Contudo, quando se trata dos aspectos mentais, emocionais e relacionais, a idade não garante, de forma nenhuma, o amadurecimento de alguém.

Mas me diga você: o que você observa em alguém para considerá-lo maduro?

_____

_____

_____

_____

_____

E que característica(s) pode(m) fazer com que você considere alguém imaturo?

___

___

___

___

Amadurecer é um processo contínuo, cheio de curvas. Não tem o mesmo significado para todas as pessoas e nem pode ser medido pela idade.

Quando falo em evolução, em "próximo nível", estou falando desse processo de maturação humana. Maturidade é uma etapa do desenvolvimento humano que corresponde a um estado de completude, tanto biológica quanto psicológica.

O amadurecimento psicológico significa adquirir certo nível de inteligência cognitiva e emocional. Em um ambiente ideal, a maturação biológica se dá mais ou menos em paralelo com a psicológica. Porém, é comum que as pessoas amadureçam primeiro biologicamente, enquanto a maturação psicológica acontece de forma mais lenta e ao longo do tempo.

Por isso podemos dizer que o desenvolvimento dos sentimentos e o processo de renovação dos interesses pessoais acompanham todas as fases de nossa vida, desde a infância até a idade adulta.

A procura por nossa melhor versão, por atingir nossa plenitude, eu chamo de Jornada da Maturidade Humana. À medida que amadurecemos como seres humanos, desenvolvemos 7 traços que definem o estágio de nossa maturidade. São eles:

1. Espontaneidade
2. Senso de merecimento
3. Capacidade de doar e receber
4. Dualidade
5. Autorresponsabilidade
6. Adaptabilidade
7. Habilidade de recomeçar

Por que as crianças chamam um adulto para ajudá-las quando, por exemplo, quebram um copo? Porque elas não sabem como agir. A maturidade inclui a capacidade de resolver problemas, pela adaptabilidade e autorresponsabilidade. Ou melhor: a maturidade nos dá condições para lidar com os problemas, porque muitos não precisam de solução, mas de compreensão – nem todo problema é, de fato, um problema real, lembra?

Vamos explorar agora cada traço individualmente. Assim, você pode pensar sobre a sua jornada, sobre quais traços da maturidade são mais evidentes e quais ainda precisam ser desenvolvidos em você.

1º traço: Espontaneidade

A espontaneidade é a primeira característica que desenvolvemos no nosso processo de maturação. Esse traço, estranhamente, é bastante evidente nas crianças; depois passa por um processo de inibição e, na idade adulta, tentamos recuperá-lo.

Por espontaneidade, entendemos a nossa autenticidade, nosso jeito mais livre e sem monitoramento. Quando você se identifica consigo mesmo e aceita que possui gostos e vontades próprios, quando percebe que é único e que somente as suas escolhas pessoais podem mudar a sua vida, significa que você começou a agir com maturidade.

A espontaneidade é a sua capacidade de ser você mesmo. Claro que isso não significa diretamente burlar regras sociais, mas, mesmo estando sob todas elas, não embotar o seu jeito único de ser.

É a capacidade de ser congruente com seus desejos, características e comportamento.

Em minhas formações, sempre abordo a nossa criança interior. Muita gente busca aumentar sua criatividade, fazer coisas autênticas, o famoso "pensar fora da caixa", e isso nada mais é do que ser espontâneo.

Nossa criança interior devolve nossa espontaneidade e, quem diria, nos coloca no caminho da maturidade plena. Apenas uma pessoa muito imatura acredita que deve negligenciar sua essência em função de atender expectativas alheias.

Ser maduro não é ser artificial, robótico, sempre preocupado em atender expectativas externas. Quando conseguimos ser autênticos e espontâneos, começamos a trilhar o caminho da maturidade plena.

2º traço: Senso de merecimento

Um dos sentimentos importantes da jornada da maturidade é o merecimento.

Nós duvidamos o tempo todo do nosso merecimento. Sonhamos, desejamos, mas, quando conquistamos algo muito grande, questionamos se realmente merecemos isso.

É comum pessoas que encontram um namorado ou uma namorada bacana, que faz o almoço no domingo, rega as plantas e faz chazinho quando o outro está doente, pensarem: *Tem alguma coisa errada...*

Essa desconfiança nasce de não nos sentirmos merecedores. Duvidamos da nossa capacidade, desconfiamos se somos valorizados, elogiados, e nos contentamos com pouco.

A pergunta que nos desperta para isso é: "O que há de especial em mim?". É provável que nossa resposta inclua nossos "pontos positivos", mas relutamos em aceitar que temos algo "especial". Já percebeu como não usamos esse tipo de palavra para nós mesmos?

Sim, você merece se reconhecer especial, extraordinário, você merece ser maior, ganhar mais, viver melhor, ter o melhor companheiro do mundo e os melhores filhos. É merecimento. Quando não tem crenças de merecimento, você esconde o seu próprio poder em vez de utilizá-lo.

Pessoas maduras acreditam que merecem colher resultados extraordinários, por isso não se contentam com a média. Para essas pessoas, nenhum problema é grande demais. Elas querem algo novo e bom para a própria vida.

3º traço: Capacidade de doar e receber

A maturidade carrega em si um traço bastante evidente de saber doar e de saber receber. Existe uma força universal que rege toda a prosperidade e a abundância que existem, e essa força é o movimento cíclico dar-receber. Esse traço de maturidade é a capacidade individual de conjugar essa força do universo.

Alcançar esse nível de maturidade significa estar aberto para dar, doar e compartilhar tudo o que você puder, e ao mesmo tempo estar aberto para receber tudo o que o universo pode lhe proporcionar em abundância. Receba e doe elogios, aceite e distribua amor, reconheça e honre a sua própria história.

Doar não é um movimento vinculado apenas ao material. Nós doamos tempo, atenção, carinho, escuta. Doar é ter olhos sinceros e empáticos para o outro.

Muita gente tem dificuldade em doar. Isso é causado pelo apego, que traz dependência e insucesso. Pessoas apegadas não mudam, não evoluem e... não amadurecem.

Receber também pode ser difícil para algumas pessoas, e isso está ligado ao sentimento de não merecimento. Quem não se sente merecedor não recebe nem elogios, nem presentes... Não recebe nada!

Você já passou pela experiência de dar presentes a alguém que não gosta de ganhar presentes? É horrível!

Muita gente gosta de ajudar, de se sentir útil, de ser solícito e estar disponível para os amigos a qualquer hora. Mas muita gente que gosta de ajudar morre sozinho, sem pedir ajuda a ninguém, porque tem a ilusão de ser autossuficiente, ou seja, de não precisar dos outros.

Aprender a doar de si e a receber do outro é um exercício para a vida.

4º traço: Dualidade

A dualidade é um importantíssimo traço do amadurecimento. Maduros, não esperamos perfeição nem de nós mesmos nem dos outros, e sabemos lidar com sombras, nossas e alheias.

Eu acredito que todos nós somos pessoas maravilhosas e que temos uma história incrível e única. Mas, antes de construir, viver e tomar consciência dessa história maravilhosa, todos nós passamos por muitas situações que podem gerar memórias de dor. O quarto traço envolve aceitar os dois lados da sua história. É reconhecer a dualidade que habita em você. Você é luz, bondade e amor, mas uma parte sua sempre será sombra.

Aceitando a dualidade humana em si mesmo e nas pessoas ao seu redor, você terá verdadeiramente atingido uma etapa maravilhosa da maturidade. Ninguém pode ser considerado verdadeiramente maduro se não for capaz de respeitar a dualidade do ser humano.

Ninguém é absolutamente maravilhoso o tempo todo, e ninguém é uma pessoa ruim em todas as áreas. Quando criamos modelos imaculados, nos decepcionamos ao menor sinal de incongruência. Acreditamos que nossos ídolos não podem errar, por exemplo. Ao menor deslize, o ídolo se transforma em um inimigo. Isso é imaturidade, e esse comportamento cria problemas enormes.

É preciso aceitar as sombras em si mesmo e nos outros, bem como aceitar a luz em si mesmo e nos outros – a luz alheia não ofuscará a sua, acredite.

5º traço: Autorresponsabilidade

Ter autorresponsabilidade significa assumir o controle da sua própria história e parar de culpar os outros. É quando nós reconhecemos e dizemos para nós mesmos: "Eu sou o piloto da minha vida, eu piloto a minha nave, é responsabilidade minha".

Parece óbvio que cada um é responsável pelo próprio sucesso ou insucesso. Mas, na prática, ainda buscamos incansavelmente um culpado e mentimos para nós mesmos, tapando nossos próprios olhos.

Se você não estiver se sentindo seguro quanto ao controle da sua vida, caro leitor, eu o convoco neste exato momento a dizer para si mesmo: "A responsabilidade é minha! Eu sou o autor da minha história!".

Autorresponsabilidade também envolve planejamento. Envolve entender que, se erramos antes, é porque não tínhamos os recursos mentais que possuímos hoje, e assumir a responsabilidade por planejar nossa própria vida e nossos resultados futuros.

Amadurecer é saber reconhecer e aceitar todas as consequências das escolhas que você fez, faz e fará – ou das escolhas que você não fez, porque a procrastinação e a fuga também têm consequências. E a responsabilidade por elas é inteiramente sua.

6º traço: Adaptabilidade

A adaptabilidade é a capacidade que você desenvolve de moldar-se às diversas situações, relações e aos ambientes. A falta da adaptabilidade é um grande gerador de reclamações desnecessárias e desgaste energético.

Comece a pensar em quão flexível e adaptável você é. Você consegue lidar bem com pessoas que têm opiniões diferentes das suas? Como você se sente em um bairro ou uma cidade muito diferente de onde você vive? E sobre mudanças, você gosta de mudanças?

Ser capaz de apresentar comportamentos adequados nas mais diferentes situações é um traço muito precioso de maturidade. Ao longo de nossa vida, somos levados a enfrentar todo tipo de desafio, desde problemas que exigem que coloquemos a mão na massa até problemas que precisam ser resolvidos na conversa, por meio de negociações.

Se você sente resistência às mudanças, quaisquer que sejam, você precisa trabalhar a sua adaptabilidade, o seu jogo de cintura. Muitas pessoas em um ambiente estranho ficam paralisadas e não sabem como se movimentar. Isso cria limitações de toda natureza, desde evitar se relacionar com as pessoas presentes até não ter espontaneidade.

A adaptabilidade nos abre um universo de possibilidades, nos coloca em frente a uma escada, pela qual podemos alcançar um novo nível. Ou você se adapta ou foge. Ou você é água ou é madeira – a água toma a forma do recipiente em que está, a madeira não.

7º traço: Habilidade de recomeçar

O último traço da maturidade é uma espécie de retorno, o que demonstra a natureza cíclica e infinita do desenvolvimento humano.

De 0 a 10, que nota você atribui à sua capacidade de recomeçar? Você tem medo de recomeçar?

Seu corpo tem a habilidade de recomeçar todos os dias, se renova o tempo inteiro. Mas, mentalmente, recomeçar é algo doloroso. É quase sinônimo de fracasso.

Realmente, recomeçar exige renúncia e desapego; por outro lado, o medo do recomeço produz comodismo.

Evitamos mudar de cidade, apartamento, relação, emprego. Um recomeço, seja ele qual for, exige de nós muita maturidade, desde a necessidade de retroagir no nosso padrão financeiro (a depender da mudança) até o início de novos relacionamentos.

Recomeçar exige de você todos os outros 6 traços de maturidade. Aqui eles se tornam realmente necessários.

É claro que muitas vezes sentimos a necessidade de recomeçar, de iniciar um novo ciclo, uma nova história. Mas... você tem maturidade suficiente para isso?

Talvez sim, e esse pode ser o momento para experimentar um novo momento na sua vida. Enquanto você estiver vivo, sempre existirão oportunidades.

O sétimo traço da maturidade humana é também a capacidade de se levantar da cama todos os dias disposto a continuar a própria história, enxergando um recomeço diário. É melhorar e se transformar todos os dias, constantemente.

É possível que o seu recomeço exija o perdão de si mesmo e dos outros.

Um recomeço pode exigir a retratação com alguém que você magoou, e isso requer muita maturidade.

Talvez você precise recomeçar seu relacionamento consigo mesmo, pode ser que precise se conhecer mais. Ou talvez seja necessário recomeçar seu relacionamento com Deus.

Eu vivo em função de descobrir e desenvolver ferramentas que ajudem as pessoas a chegarem mais longe por meio da descoberta de seu potencial único. Vivo em busca de teorias e experimentos. O que eu descobri é que nenhuma teoria é grande o suficiente para explicar o ser humano.

Pensando sobre sua jornada em busca da maturidade completa (e inalcançável), preciso falar sobre o perdão. Ele é parte da nossa maturidade e é também um grande solucionador de problemas.

O PERDÃO RESOLVE PROBLEMAS

Parece piegas e um pouco sentimentalista falar em perdão como uma ferramenta de resolução de problemas, mas em nenhuma hipótese acredito que o campo dos sentimentos e da alma deva ser desprezado. Ao contrário, ele é profícuo na constituição de todos nós, humanos.

Ao me conectar cada vez mais com meus movimentos internos, me abrir para a natureza humana e para novas formas de ver e perceber a vida, o perdão me surgiu como *insight* poderoso. O ato de viver e falar sobre perdão tocou a minha alma e me transformou como pessoa.

Gostaria que você percebesse que, por um lado, se podemos racionalizar, planejar, processar cognitivamente um dado, um fato, uma situação, por outro, esse mesmo dado ou situação suscita emoções, sentimentos, pensamentos e intuições.

Uma pessoa tomada por ressentimento, culpa, raiva e remorso consegue enxergar claramente os caminhos estando em uma encruzilhada?

Tenho tratado sobre perdão nas formações que ministro, e esse tema tem feito muito sentido para as pessoas, gerando fortes ressignificações. Entendi que o perdão resolve dores, encerra ciclos de separação e produz bem-estar.

Numa definição breve, eu diria que o perdão é um processo mental e espiritual que tem como objetivo fazer cessar o ressentimento e a raiva decorrentes de fatos que já ocorreram, para que a convivência consigo mesmo e com as pessoas se torne mais fácil.

Por isso perdoar é uma decisão particular, consciente. Por vezes, é um ato mecânico, sem exame de consciência, mas nunca vazio de significado, e sempre muito útil ao processo de ressignificação das memórias.

Sendo o perdão algo tão benéfico, por que há resistência a perdoar e, sobretudo, a pedir perdão?

Resistimos por orgulho, por necessidade de demonstrar força e de estarmos certos, por vaidade e por egoísmo. Resistimos a pedir perdão porque queremos ter a última palavra, queremos estar sempre "por cima".

Existe um grande equívoco em acreditar que o perdão é um sinal de fraqueza. Na verdade, o perdão demonstra força, tanto pela maturidade que representa quanto pela autonomia e pelo compromisso que quem perdoa ou pede perdão assume com sua iniciativa.

O perdão é, portanto, uma decisão de quem quer se desconectar de uma memória de dor e recomeçar a vida livre do ressentimento. Engana-se quem acha que o perdão beneficia o outro. Ele beneficia, na verdade, você mesmo.

Há 3 formas de perdão:

1. **O perdão que pedimos a outra pessoa.**
2. **O perdão que concedemos a quem pede.**
3. **O perdão que damos a nós mesmos (autoperdão).**

Pedir perdão exige um exercício de autorresponsabilidade, como já falamos no capítulo anterior. Só é capaz de pedir perdão quem reconhece o próprio erro, quem olha para si com verdade e amor.

O problema é que não queremos estar errados. Reconhecer-nos errados é reconhecer que somos falíveis, que mentimos, traímos, trapaceamos, desejamos o mal. É muito duro reconhecer tudo isso em nós mesmos. Essas são as sombras sobre as quais já falei neste livro.

Ao tentar negar nossas obscuridades, desviamos o foco da culpa e dizemos: "Por que eu deveria pedir perdão a ele(a)?".

O ato de pedir perdão ou desculpa, seja por algo simples ou por algo mais grave, muda completamente a direção da energia que seria gasta com o problema. É claro que nem sempre estamos livres de desavenças, especialmente quando uma pessoa não aceita as desculpas, mas nos desculparmos, além de mostrar humildade, revela que estamos dispostos a manter a serenidade e o equilíbrio, desviando a energia da raiva e do rancor.

Esquivando-nos de pedir perdão, temos a ilusão de que as coisas se resolverão sozinhas, sem que precisemos nos "humilhar". Mas o tempo não resolve nada, ele apenas esconde a dor, que, na primeira oportunidade, se torna uma acusação, e os sentimentos retornam com força total.

Falar é importante; o ato de pedir perdão é indispensável.

Do outro lado, quando alguém toma a iniciativa de **se desculpar conosco**, de pedir perdão, podemos, por uma fração de segundo, pensar em ceder à vaidade. Isso pode acontecer de duas formas: a primeira é nos colocarmos numa posição de superioridade ("eu perdoo você porque eu posso"); a outra é a autoafirmação, não concedendo o perdão porque o outro não merece.

Não se sinta poderoso e dono da verdade quando alguém se desculpar com você. Entenda que a pessoa que se aproxima de outra a fim de desculpar-se passou por um longo processo de exame de consciência. Há sofrimento, constrangimento, como haveria no caso contrário.

Perdoar é tão difícil e importante quanto pedir perdão, e não significa superioridade, assim como pedir perdão não significa fraqueza. É por isso que muitas vezes perdoamos em nosso coração pessoas que não tiveram a coragem e a humildade de nos procurar: a necessidade de perdoar nasce dentro de nós antes que nasça dentro do outro o desejo de pedir perdão.

É comum que continuemos um relacionamento com quem nos magoa, sobretudo dentro da família, mesmo que o outro não consiga dizer "me perdoe". A atitude de perdoar sem um pedido concreto de perdão é a prova de que perdoar é um anseio interno. O bem que vem desse ato é sempre nosso.

Mas você já viu como há sempre alguém que julga o perdão alheio? "Eu não perdoaria de jeito nenhum!", dizem, orgulhosas, as pessoas que acumularão em si mesmas os malefícios do rancor e que se acham juízas do mundo!

O **autoperdão** é uma outra dimensão desse processo. Ele envolve responder: quais culpas você carrega?

É possível que de imediato você não consiga pensar em nenhuma, mas todos nós temos nossas culpas, e elas surgem sempre. Pode ser um familiar que tenha falecido e pelo qual você pensa que poderia ter feito mais, pode ser a demissão de um emprego em que você se arrepende de não ter se comportado de outra forma ou um relacionamento que terminou por um deslize seu.

O autoperdão é reconhecer nossas limitações, tanto intelectuais quanto mentais e relacionais. Sempre entenderemos que "poderíamos ter feito diferente", mas não fizemos, e esse é o fato que precisa ser entendido. Quem vive de possibilidades sempre se verá frustrado e mergulhado em remorso.

O professor Augusto Cury diz em um dos seus vídeos que a falta de autoperdão nos torna "carrascos de nós mesmos". Eu acho fortíssima essa comparação e concordo que manter a culpa é uma autoflagelação constante. É uma autopunição.

Algumas culpas nos são imputadas pelas pessoas e acabamos absorvendo-as. Ouvimos de alguém: "A culpa foi sua", e, imediatamente, tendemos a acreditar que sim. Não faça isso consigo mesmo, não aceite culpas que seu coração não reconhece.

Perdoar a si mesmo é uma reconciliação com seu sagrado interior.

Há perdões que, para muitos, parecem improváveis. Um exemplo é quando uma pessoa perdoa um criminoso, um assassino. Como é possível perdoar alguém assim?

Eu faria outra pergunta: como é possível conviver com o sentimento de ódio, vingança e revolta? O que é mais danoso para sua alma?

O perdão é isto: um exercício que nasce cognitivo, mas que se torna um hábito diário de libertação de pesos. Por isso ele resolve nossos problemas: porque a falta de perdão em si mesma é um grande problema que carregamos cotidianamente.

É possível perceber que nosso cérebro se adapta ao perdão e o registra como um comportamento padrão. No neocórtex, responsável pela memória, registra-se uma capacidade de agir de forma diferente a novas ofensas, desilusões, tristezas, sem repetir a mesma mágoa de antes. Ou seja, caso algo com capacidade de nos magoar aconteça, a mente fará com que já saibamos nos proteger da dor, perdoando antes que ela cause uma tristeza profunda.

Isso porque o perdão é um botão que, uma vez apertado, libera toda a carga que estava sobre os nossos ombros. Uma pessoa que vive vinte, trinta anos carregando uma mágoa em relação a um amigo, irmão, pai ou mãe sofre toda vez que vê a fotografia da pessoa, que esbarra com ela, que chega uma data específica, como Natal ou Dia das Mães. Quando o perdão surge, todo esse peso e esse sofrimento desaparecem, e a leveza da vida chega e toma conta de tudo.

É por isso que o perdão parece ser uma das melhores ferramentas para a resolução dos nossos problemas pessoais.

As religiões sempre orientaram o caminho do perdão, sobretudo o cristianismo. Há na Bíblia diversas menções ao perdão, como a medida que devemos perdoar (devemos perdoar ao irmão que age contra nós até 70 vezes 7) e o momento em que Jesus Cristo, sendo torturado na cruz, se dirige a Deus, dizendo: "Pai, perdoai-lhes, eles não sabem o que fazem".

Na Igreja Católica instituiu-se o sacramento da confissão, em que o fiel faz um exame de consciência, reconhece e confessa seus pecados e recebe o perdão de Deus por meio do sacerdote. Sente-se então pronto para se reconciliar consigo mesmo, com a comunidade e com Deus.

Já ouvi pessoas dizendo que meus livros, em alguns momentos, tinham uma "pegada religiosa muito forte" e nunca entendi por que essa fala sempre aparecia como uma crítica. Para alguns, o adjetivo "religioso" é depreciativo. Para essas pessoas eu digo que negar a espiritualidade é negar uma parte indissociável do ser humano, e não me parece um demérito resvalar no campo religioso ou espiritual.

Sendo assim, não há problema em ver o perdão como uma prática religiosa, caso faça sentido para você. Mas perceba que mesmo um ateu viverá suscetível a erros, seus e dos outros, logo, se enredará em situações que tornam necessário perdoar e ser perdoado.

Nós erramos. Erramos muito e várias vezes por dia. Alguns erros são menos prejudiciais, coisas simples. Outros são mais graves e acabam prejudicando a nós mesmos e aos outros. Em nós, esse tipo de erro gera a autoacusação; nos outros, a mágoa.

Muitas pessoas também erram conosco e causam em nós sofrimento e frustração. O erro, portanto, não é uma escolha. Erramos até quando fazemos algo com muito amor e dedicação. Isso porque o erro é uma condição humana: ser humano significa errar, estar sujeito ao erro e, sobretudo, aos seus efeitos.

Gostaria de lhe apresentar um caminho para o perdão. Chama-se "intenção positiva".

É simples. Busque sempre, em todas as situações, reconhecer uma intenção positiva no que as pessoas fazem. Entenda que o ser humano, em essência, é bom e caminha para o bem.

Se alguém o ofendeu, pergunte-se: *Qual seria a intenção positiva dessa pessoa ao falar ou fazer isso para mim? Será que ela gostaria de me dar um feedback para meu crescimento, mas não sabe exatamente como? Será que ela se sentiu ferida por algo que eu fiz e não conseguiu reagir de outra forma?*

Qual é a intenção positiva?

A intenção positiva nos conecta, por meio da compreensão, ao outro. É isto que nos falta: compreensão, empatia e compaixão. Se enxergarmos, mesmo depois de muito pensar, a intenção positiva e a limitação do outro, teremos mais facilidade em gerar conexão e compreensão.

Caminhando para o fim deste capítulo, gostaria que você pensasse um pouco nas perguntas a seguir e, se possível, tomasse uma atitude agora no sentido de resolver problemas acumulados indevidamente na sua alma.

Quem você precisa perdoar hoje, mesmo sem que essa pessoa o procure?

A quem você precisa pedir perdão agora, neste momento?

Quer parar a leitura e enviar uma mensagem?

Que culpas você carrega e precisam do seu autoperdão?

Encare os problemas e os erros e não se isente.

ISENTÃO: "O PROBLEMA NÃO É MEU!"

Quero me aprofundar um pouco mais na questão sistêmica, porque considero este um ponto nevrálgico da nossa transformação em pessoas que solucionam problemas. O encadeamento sistêmico de todos nós à rede na qual estamos entrelaçados parece um pouco óbvio, mas, na prática, agimos no cotidiano completamente apartados do fato de que somos todos um!

Todos já dissemos uma frase muito corriqueira que revela isso: "O problema não é meu, o problema é do fulano".

Esse impropério repetido à exaustão é sintomático da nossa falta de consciência sistêmica. Realmente, é maravilhoso achar um culpado, desde que não sejamos nós! Somos isentões, não se sabe se por natureza ou por costume.

O fato é que, quando não tomamos partido, quando não nos envolvemos, esperando que alguém o faça, o problema aumenta.

Ser um solucionador é assumir o problema, mesmo que, de início, ele não tenha sido delegado a você. É fazer alguma coisa. É ajudar, mesmo que a questão aparentemente não o envolva.

Somos capazes de ver alguém em situação de risco ou sofrendo uma violência covarde e não nos envolvermos. Fazemos isso o tempo inteiro. Veja, por exemplo, o fenômeno muito recente de pessoas que filmam uma tragédia em vez de prestar ajuda.

Um ditado clássico que confirma isso e que tem sido muito questionado ultimamente é: "Em briga de marido e mulher, não se mete a colher". Quantas mulheres você acredita que já morreram pela cultura de não se envolver?

É claro que, quando se trata de violência, temos medo, e isso nos impede de agir, mas, se você se lembrar bem do que falamos a respeito do medo, é preciso ousar enfrentá-lo ou ele sempre nos comandará.

A ausência de denúncia em um caso de violência é típica de quem se isenta. Afinal, por que eu me envolveria se o problema não é meu? Não sou eu quem está sendo agredido, eu não estou sofrendo.

Se um dia você estiver sofrendo violência, gostaria de ter isentões próximos a você?

Um exemplo mais banal, mas não menos esclarecedor, é o de quando um cano da empresa de tratamento de água estoura, fazendo jorrar água potável em plena avenida. Quem liga para a empresa responsável? Quanto tempo a água fica jorrando até que alguém assuma a responsabilidade de ajudar a resolver o problema?

E ainda perguntamos: "Gente, mas ninguém ligou para o responsável até agora?".

Mas dá um trabalho, né? Não maior do que pagar uma conta altíssima no final do mês ou ver chegar a época do racionamento. Afinal, o consumidor acaba arcando com os custos da água tratada. No entanto, alguém pensa nisso quando vê a água jorrando? Pouquíssimas pessoas.

Reclamar dos problemas sem fazer alguma coisa é apenas cultivar o hábito da negatividade. Você não pode reclamar de um problema se não está disposto a ajudar a resolvê-lo.

Nas empresas, sempre há um "filho sem pais". Essa expressão é usada para falar sobre problemas que ninguém quer assumir. "Isso é coisa do financeiro... não, acho que é a logística... não, mas o departamento de pessoal..."

Ninguém quer assumir a responsabilidade, porque quem assumir será cobrado pelo resultado.

Para além de aprender a resolver problemas, queremos gerar performance, e ninguém gera performance se isentando e fazendo de conta que nada está acontecendo. Se você não se envolve, ou as coisas não acontecem ou não acontecem do seu jeito.

Isentar-se é, por definição, desobrigar-se, livrar-se. Desobrigado, o sujeito não pode ser acusado de não ter feito nada, afinal, a responsabilidade não era dele! Por outro lado, essa pessoa jamais poderá ser reconhecida por algo, afinal, nunca terá participado de coisa nenhuma.

É sabido que problemas, sejam pessoais ou profissionais, são excelentes formas de colocar em prática nossos conhecimentos e habilidades. Contudo, não há como mostrar todo o seu talento sem se envolver. O isentão jamais terá a chance de se mostrar, de ser visto, de realizar algo.

Também acredito que há uma ligação com um baixo padrão energético. Quando a energia de alguém é muito baixa, o padrão é não agir nunca, mas sempre passar direto, tranquilo e calmo, pois não há energia suficiente.

Ao mencionar energia, estou falando de ânimo, motivação, desejo, força. Pessoas desligadas de si e do mundo, dispersas e preguiçosas têm problemas com a energia pessoal. É preciso ser uma usina, gerando e distribuindo energia, senão a vida fica cada vez mais lenta e desinteressante.

O perfil isentão é também um procrastinador. Quase sempre, aquele que prefere fazer de conta que o problema não existe também adia o quanto pode a resolução do problema que não tem mais como ignorar.

Há quanto tempo você precisa trocar uma torneira pingando ou desentupir a pia, levar uma calça a uma costureira ou arrumar o ar-condicionado do carro?

A gente protela tanto a resolução de problemas que acaba se acostumando com eles. No caso da pia entupida, por exemplo, acabamos aprendendo a nos relacionar com ela daquele jeito e vai ficando. Até que um problema maior aconteça e sejamos forçados a agir.

Procrastinamos ou protelamos quando vamos deixando para mais tarde, para amanhã, para quando cair o salário ou para quando tivermos que fazer alguma coisa na região norte da cidade, daí "dá para passar lá".

E a vida vai ficando torta, desajeitada, feia, defeituosa.

Quando falo sobre ser isento, não falo sobre opinião, que, aliás, é outro campo. Contudo, é certo que o termo isentão tornou-se popular durante as discussões do período eleitoral em 2018, como uma forma de acusar pessoas que não se posicionavam diante de determinados assuntos. Assim, os isentos foram acusados de neutralidade, e neutralidade em época de polarização é vista como um pecado.

Não se posicionar sobre um assunto é diferente de ignorar um problema. No primeiro caso, há um direito individual de se manifestar ou não. No segundo, ao ignorar um problema, geramos consequências, para nós e para os outros.

É importante defendermos o direito das pessoas de serem neutras ou não se posicionarem, mas também é importante apontar a falta de ação e a morosidade. São coisas diferentes que merecem análises diferentes.

É saudável que alguém diga que ainda não tem uma posição formada sobre determinado assunto. Não precisamos ter um posicionamento claro e definido sobre tudo. Nossas ideias se constroem, inclusive, nos debates, na observação.

Assim, se isentar de dar uma opinião é um direito, e a única consequência é ser chamado de "isentão". Agora, se isentar de resolver um problema aumenta o transtorno, que ganha espaço e atinge outros setores, até se tornar uma crise.

É importante, nesse ponto, reforçarmos que se isentar é diferente de desconhecer.

Vou dar um exemplo que pode fazer muito sentido para você: imagine que você desconhece um problema de saúde, algo que nunca apresentou nenhum sintoma. Caso descubra a doença no futuro, não se sentirá culpado, pois não poderia ter feito nada antes.

Agora, imagine que você sentiu febre, ou uma dor diferente, ou sentiu um nódulo e decidiu, conscientemente, fazer de conta que "não é nada de mais". Caso mais tarde você descubra que tem uma enfermidade grave, saberá que poderia ter evitado um problema maior se não tivesse se feito de cego antes.

Penso que é o caso de alguém que teve uma relação sexual desprotegida, por exemplo, mas não quer fazer o exame para doenças sexualmente transmissíveis por medo de descobrir que está doente. Ora, não encarar o problema não o elimina. Uma pessoa que não procura um médico não ficará sã; ela tende a adoecer até um ponto em que não haverá mais solução.

Fazer de conta que não viu pode livrar você da responsabilidade imediata, porém aumenta a culpa mais tarde.

Há uma série de desculpas usadas por quem tem um comportamento "isentivo": "Eu não vi", "Nossa, nem percebi", "Eu vi, mas pensei que fosse assim mesmo", "Já me dei mal me metendo", "Cada um cuida de si e Deus de todos", "Eu pensei nisso!".

Todas as desculpas do isentão servem apenas para mostrar que é alguém que espera que o problema se resolva, que reclama quando não é resolvido, ou quando demora, que julga e protesta, mas que nunca age nem se envolve.

De fato, esse perfil é rejeitado pelas pessoas, porque o isentão gera desconfiança. Como confiar em alguém que nunca toma partido? Que espera todos agirem para ocupar o seu espaço?

O isento sempre acaba sendo reconhecido como aproveitador e covarde. Há inclusive as pessoas que não assumem a responsabilidade, mas dão um jeito de pegar carona na resolução alheia. Quando alguém aparece com uma solução, elas surgem, dizendo: "Eu avisei" ou "Faz tempo que eu digo isso".

Por pegar carona no mérito alheio, o isento se torna um tipo de aproveitador. Por nunca enfrentar nada nem ninguém, ele se torna um covarde – afinal, o isentão não cria conflitos, pois, por não resolver problemas, não aponta pontos de melhoria e não se estressa com ninguém.

Eu disse no começo do texto que queria retornar à questão sistêmica. Pois bem, quando fecha os olhos para algo que tem potencial problemático, você deixa de assumir a responsabilidade, ao passo que também permite que alguém sofra as consequências. Toda vez que você decide ignorar um problema, alguém sofrerá com ele, mas tudo bem, desde que não seja você, não é?

Pessoas solucionadoras de problemas se envolvem, não têm medo da responsabilidade, não recuam diante de uma dificuldade.

Se você quer se tornar essa pessoa, envolva-se. Não finja que não está acontecendo o que você sabe que está.

Antes de dizer "o problema não é meu", pense: *Embora o problema não seja diretamente uma responsabilidade minha, o que eu posso fazer para ajudar a resolvê-lo?* A resposta a essa pergunta torna você imediatamente um participante da solução dos problemas.

O envolvimento é um aspecto tão importante que, em processos de seleção de funcionários, muito frequentemente se aplicam dinâmicas em grupo para identificar as pessoas que tomam a iniciativa de resolver os problemas e as que esperam que tudo se ajeite. Mesmo sabendo que, naquele momento, está sendo avaliada, a tendência de uma pessoa isenta a esquivar-se predomina.

Não vou conseguir evitar compartilhar um adágio muitíssimo conhecido, comum a todas as pessoas que já fizeram algum treinamento em empresa. Embora ele seja antigo e bem popular (eu gosto de exemplos mais originais e criativos), cabe como uma luva para entender como se isentar gera problemas.

É a famosa história de Alguém, Ninguém, Qualquer Um e Todo Mundo. Diante de um trabalho a ser feito, Todo Mundo tinha certeza de que Alguém o faria. Qualquer Um poderia tê-lo feito, mas Ninguém fez. Diante do impasse, Alguém ficou zangado, porque era um trabalho que Qualquer Um podia fazer, mas Ninguém imaginou que Todo Mundo deixaria de fazê-lo. No final, Todo Mundo culpou Alguém porque Ninguém fez o que Qualquer Um poderia fazer.

E assim, vamos alimentando o sistema do "deixa que eu deixo".

Soluções exigem envolvimento.

O PROBLEMA DOS SEUS RELACIONA-MENTOS É VOCÊ

Talvez seja o campo dos relacionamentos aquilo que, entre os problemas da vida, mais o afeta, mais o incomoda e o que mais lhe causa sofrimento.

Há uma infinidade de problemas ligados aos relacionamentos que nos afetam: pais que se frustram com seus filhos porque eles não seguiram o caminho esperado; filhos que não se sentem amados e, por conseguinte, não conseguem demonstrar carinho e afeição a seus pais; irmãos que disputam, se desafiam, se enganam e, muitas vezes, se agridem; casais que perdem o respeito (ou nunca o tiveram) e vivem uma guerra diária de acusações e críticas, sem nenhum afeto nem cumplicidade; ou uma pessoa que se doa muito no relacionamento, idealiza demasiadamente o parceiro e, por isso, está sempre imersa em amargura e sentimento de rejeição; ou ainda relações turbulentas no trabalho, gerando o isolamento de alguém de quem "ninguém gosta" na empresa.

Seja na família, na empresa ou no grupo de amigos, somos seres relacionais, e toda relação humana está sujeita a problemas, justamente por sermos humanos, dotados de luz e sombra, maravilhosos e cheios de pontos de melhoria.

Relacionamento é sempre uma troca, uma dinâmica de dar e receber que envolve personalidades, experiências, memórias, histórias de vida. Existem casos em que há maior compatibilidade emocional e de personalidade. Nesses casos, a convivência é mais fluida. Mas, mesmo em casos de pouca ou nenhuma compatibilidade, ainda é possível transformar os problemas dos relacionamentos em evolução pessoal.

As pessoas se unem por afinidade de gostos e interesses. Mesmo vindo de realidades diferentes, com bagagens próprias de vida, quando há interesses em comum ou uma identificação estética ou ideológica, a atração é natural.

Por outro lado, quando não há convergência emocional, ou quando há mais estranhamento do que afinidades, e quando os estresses do mundo externo entram pela porta, surgem os pequenos problemas, que podem se transformar em grandes a longo prazo.

Em geral, miramos os defeitos dos outros. Há muita gente que nunca está disposta ou aberta a relacionamentos. A questão é que sempre olhamos torto para o outro, buscando problemas, falhas.

Quando um dos nossos relacionamentos não funciona, a culpa sempre é do outro: egoísta, grosseiro, não ouve ninguém, arrogante... E, assim, nos afastamos da resolução dos problemas relacionais, porque, como não nos vemos como parte do problema, também nos tornamos incapazes de nos enxergar como parte da solução.

Culpar o outro e fugir da própria responsabilidade é sempre a solução mais fácil. E insistir nessa saída é um processo de sabotagem da própria solução.

Muitas vezes (ou quase sempre), o problema do relacionamento também é você.

E não leve isso como uma acusação. Não é um julgamento, é um chamado para reflexão e para a ação.

Todo casal tem problemas, em maior ou menor intensidade, grandes ou pequenos, mas todos, inicialmente, podem ser resolvidos. No entanto, algumas coisas são comuns a todos: o problema nem sempre é de fato um problema; muitas vezes, é algo pequeno e, em geral, um empurra a responsabilidade para o outro e nenhum reconhece o que precisa mudar.

A partir do momento que você toma para si a responsabilidade, será possível encontrar uma solução para os problemas que o afligem. O primeiro passo é entender que as coisas precisam ser analisadas e que alguém precisa tirar o peso emocional para olhar para a relação de fora.

Em todos os tipos de relacionamento existem extremos. Força em excesso ou passividade em excesso. A resolução visa a uma busca por equilíbrio, e a pessoa com mais recursos emocionais dentro da relação se torna a melhor opção para movimentar as energias nesse sentido.

Não preciso dizer que extremos nunca são saudáveis. Leve a polarização para o ambiente de trabalho e você verá, de um lado, um chefe autoritário, definido como uma pessoa difícil de lidar, que não aceita opiniões contrárias, e, do outro, um subordinado com personalidade mais reservada, passivo, uma pessoa que evita conflitos a todo custo, mesmo que tenha razão.

No relacionamento amoroso, percebemos esses opostos ao encontrar uma pessoa agitada, que age de forma mais rápida e extremamente pontual, e que se relaciona com outra de personalidade mais despreocupada, com ritmo mais lento, que gosta de deixar as coisas para depois e está sempre atrasada.

Veja que o problema não é a diferença, porque a diferença em si não é ruim. Pessoas com personalidades diferentes podem se dar muito bem em um relacionamento amoroso ou no trabalho, porque se complementam. A força em excesso precisa ser suavizada, enquanto a passividade deve ser transformada em força.

O problema se instala quando não há a iniciativa de olhar para si mesmo dentro do relacionamento e questionar:

1. Qual é a minha participação nos conflitos e nos problemas que temos gerado?
2. Como eu posso atuar para que esses problemas cessem?

Veja: "minha participação"; "eu posso atuar".

Os problemas nos relacionamentos se instalam tanto pela incapacidade de entender a si mesmo dentro da relação quanto pela falta de vontade de aprender com o jeito do outro, compreendendo-o, aceitando-o e contribuindo para o bem-estar dele com amor, carinho e atenção.

Você já parou para pensar qual é o problema ou quais são os problemas recorrentes que costuma ter em seus relacionamentos? Faça o exercício e traga as situações mais comuns que enfrenta nas suas relações.

Tente encontrar qual característica você possui e que mais demonstra falta ou excesso. Pode ser raiva ou tranquilidade, impaciência ou tolerância, organização ou desorganização, pressa ou calma.

O que pode ter acontecido, ou o que você pode ter experienciado, para lhe trazer determinada característica?

Quando se trata de relacionamento afetivo, a relação com os pais ou a relação deles entre si pode tê-lo influenciado mais do que você imagina. Você reconhece um padrão de repetição? Ou seja, você repete o relacionamento dos seus pais nos seus relacionamentos?

Em uma relação, seja ela amorosa, fraternal ou mesmo profissional, sempre há a necessidade de ambas as partes serem ouvidas. É o que chamo de "ouvir na essência". Quando aprendemos a ouvir, passamos a julgar menos, porque ouvir é uma capacidade para além de escutar. Alguns capítulos atrás, mencionei a falta de escuta, o hábito de criar nossas próprias narrativas a partir da nossa visão das coisas. Isso é um gerador de problemas comum e muito danoso.

Ouvir envolve um movimento em que saímos de nós e vamos ao encontro do outro, percebendo-o como ele é, sem a necessidade de críticas e julgamentos.

Muitas pessoas têm dificuldade em ouvir essencialmente porque não sabem lidar com o diferente e sofrem com isso. Em vez de entenderem a história de vida da outra pessoa, interrompem e se colocam imediatamente em oposição. Não têm empatia, mas têm pressa em expressar o seu ponto de vista.

Um exemplo é alguém que chega mais tarde em casa e diz: "Me atrasei na reunião". A outra parte pensa: *Está dizendo que se atrasou na reunião porque, na verdade, saiu e passou em algum lugar antes de chegar em casa.*

A desconfiança nos faz criar nossa própria narrativa, em vez de ouvir o que outro está dizendo. Esse tipo de escuta (que na verdade não é escuta) mina qualquer relação.

Vou lhe mostrar uma técnica que permite que as duas pessoas exercitem a escuta ao mesmo tempo e que potencializa a comunicação.

Eu costumo chamar essa ferramenta de modo de repetição. Durante uma conversa ou uma discussão, busque ouvir atentamente o que a outra pessoa diz. E quando digo "ouvir atentamente", quero dizer ouvir sentindo cada emoção, cada sentimento. Temos que ouvir mais que palavras.

Quando perceber que a outra pessoa terminou sua fala, ative o modo de repetição e diga novamente tudo que escutou, como que para confirmar se ouviu corretamente: "Então você está me dizendo que saiu do trabalho e...".

Enquanto você estiver repetindo, terá a oportunidade de refletir novamente sobre o que foi exposto, memorizar e compreender melhor. Ao passo que a outra pessoa, ao ouvir mais uma vez o que ela mesma disse, poderá confirmar, rever o que foi dito ou até mesmo perceber que faltou algo e então complementar.

É importante não tentar adivinhar o que a outra pessoa está pensando ou sentindo. Você sempre precisa perguntar para que tudo fique claro.

E por que essa técnica? Porque o diálogo é a principal ferramenta para o funcionamento de qualquer relacionamento.

Você permite que as pessoas manifestem sua autenticidade ou apenas exige que os outros respeitem a sua?

Se quer melhorar seu namoro, casamento ou qualquer outro tipo de relação, mude a forma como se vê e como enfrenta seus desafios. Perceba a si mesmo dentro das suas relações. Enxergue-se como parte dos problemas.

O segredo dos relacionamentos não é a concordância absoluta e a falta de questionamento. Isso é subserviência. A discordância é fato posto nas relações. Mas, diante de discordâncias e atritos, você é água ou gasolina?

Não poderia deixar de falar sobre a nossa necessidade de estarmos certos, um dos piores problemas da nossa incapacidade de nos relacionarmos.

O fato de querermos estar sempre certos impede que entendamos a vida e a verdade do outro, nos divide e faz de nós parte do problema.

Gostaria de compartilhar uma história simples, mas que ilustra muito bem como não buscamos resolver problemas e, ao contrário, fazemos com que eles se tornem maiores.

Uma guru indiana, Rajshree Patel, conta que viajou para um evento de meditação e, estando em outra cidade, ficou hospedada na residência de um casal.

Entre o quarto onde ela estava e o quarto em que marido e mulher dormiam, havia um banheiro. Todos os dias de manhã, ela meditava em seu quarto e ficava atenta aos sons que indicavam que o casal já havia usado o banheiro para, então, fazer sua higiene pessoal.

Acontece que todos os dias de manhã ela ouvia uma discussão entre o casal, que começava assim:

"Por que você insiste em apertar o tubo de creme dental no meio? Pressione de baixo para cima, empurrando o creme. Não é lógico? É muito mais organizado, econômico!"

E no dia seguinte a mesma discussão se repetia.

Patel pensou que deveria presentear o casal que tão gentilmente a havia hospedado durante esse período e, no dia de sua partida, deixou como forma de gratidão dois tubos de creme dental. Em cada tubo estava escrito o nome de um dos cônjuges, e logo abaixo do nome, ela escreveu: "Pressione onde quiser".

É muito simples. Mas, estando em um relacionamento, nossa vontade, mais do que resolver o problema, é provar como nossa forma de ser é maravilhosa e como nossas teses são melhores.

Para quem reclama do tubo de creme dental apertado no centro, o problema é o outro, que demonstra pouca organização e não economiza.

Para quem ouve a reclamação, o problema é o outro, que apenas reclama, não respeita a sua individualidade e quer o tempo todo se manter no controle da relação.

Ninguém olha para si.

O título deste capítulo é bastante claro, mas eu precisava convencê-lo de que suas relações precisam de você. Todas as suas relações precisam de você.

Se um relacionamento que dá certo é mérito de ambos, por que um relacionamento que sofre tem apenas um responsável?

Digo responsável porque não é uma questão de culpa. Culpa envolve julgamento, e não somos juízes de ninguém. É uma questão de compreender que não podemos nos eximir dos resultados, nem dos bons nem dos ruins.

Vamos fazer uma pesquisa interessante? Peça a três pessoas, mesclando gente da sua família, amigos, colegas de trabalho, um feedback sobre você. Ouça com muita calma e interesse o que essas pessoas têm a dizer. Não se trata de se guiar pelo que os outros dizem, não é isso. Trata-se de compreender que, vivendo junto a outras pessoas, é importante saber como impactamos a vida delas, assim como também é importante dar o feedback de como elas impactam a nossa.

Você realmente sabe o que seus amigos e familiares pensam sobre você ou apenas supõe? Teria coragem de perguntar, ouvir e analisar?

As relações familiares

É certo que talvez seja menos complexo pensarmos em termos conjugais do que em termos familiares. As relações familiares envolvem questões muito mais profundas e feridas muito mais sérias.

Quando tenho a oportunidade de trabalhar com constelações familiares, aquela famosa técnica do psicoterapeuta alemão Bert Hellinger, enfatizo que as famílias são boas o suficiente. Isso significa que não podemos exigir dos nossos familiares mais do que eles realmente podem oferecer.

Você é como é. Seus pais são o que são. Eles são fruto do seu tempo, das suas relações, das suas profissões, das suas histórias de vida e, sobretudo, dos pais deles (seus avós). E assim vai até alcançarmos nosso mais longínquo ancestral.

Por que você exige que seus pais "o entendam"?

Você os entende?

Você consegue compreender por que eles têm mais facilidade de gostar de x do que de y?

Saiba que você pode ter sido o escolhido para mudar a forma de sua família se relacionar. Isso porque você agora tem recursos mentais, emocionais e, claro, relacionais que sua família ainda não possui.

Quando se trata de família, não há resolução que não passe pelo amor, que vem diretamente da aceitação.

Ninguém tem que mudar para ser amado, sobretudo quando se trata de família. Se você condiciona o seu amor à mudança de alguém, é o seu modo de amar que precisa ser curado, sarado, resolvido.

A mudança tem que partir de você. "Mãe, eu amo você, mas bem que você poderia ser menos cabeça-dura e parar de defender o João."

"Pai, eu o amo porque é meu pai, mas nunca vou esquecer o quanto você fez minha mãe sofrer e o quanto foi ausente na nossa vida."

Se ama, ama. Não ama apesar de...

Não exija da sua família que ela seja diferente do que é, porque, se tivermos que mudar, nunca nos amaremos, ou você vai mudar porque eles querem?

Não temos que mudar para sermos amados, assim como não temos que exigir mudança de ninguém. Cada um evolui e amadurece no seu tempo e, nesse movimento, as relações vão ganhando mais qualidade e mais profundidade.

E se você se percebe como causa dos problemas, agora já se torna capaz de se ver como parte da solução.

A solução começa nos seus talentos. Qual é o seu maior talento?

MANIFESTE SEUS MILAGRES INTERIORES

Vez ou outra, uso algumas palavras e acabo tendo que explicar o que elas significam para mim. Milagre é uma dessas palavras.

Milagre, no seu sentido religioso, diz respeito a algo que era (aparentemente) impossível de realizar de acordo com a racionalidade humana, mas que mesmo assim aconteceu, por intervenção divina.

Quando o Vaticano, por exemplo, decide reconhecer um fenômeno como autêntico milagre, busca primeiro uma explicação racional, científica. Quando de fato a razão não consegue dar conta da explicação de tal fenômeno, ele acaba por ser reconhecido como milagre, estando acima da lógica humana.

Acredito, contudo, que milagre é uma palavra que ultrapassa seu sentido religioso. Digo isso não por ausência de fé, mas por acreditar que milagres acontecem mesmo em contextos alheios à religião, e são realizados mesmo por pessoas que não têm uma prática religiosa muito arraigada.

Sempre que uma pessoa alcança um resultado que julgava ser "grande demais", sempre que ela é capaz de se libertar de uma dor, de um sofrimento, sempre que ultrapassa um limite mental, sempre que desperta em si suas forças internas, essa pessoa está manifestando seus milagres interiores.

Um milagre interior é uma proeza individual. De início, algo impossível. Não impossível por sua própria natureza, mas impossível porque fomos treinados para duvidar, desacreditar e questionar nossas capacidades.

Nós produzimos milagres cotidianamente, mas não damos a eles grande importância, porque aprendemos a pensar em milagres apenas como grandes feitos religiosos.

É uma questão de lógica: se julgamos a cura de uma determinada pessoa algo impossível e essa pessoa aparece curada, logo, aconteceu um milagre. Da mesma maneira, se julgamos que será impossível alcançarmos um degrau de prosperidade financeira e chegamos a ele, também realizamos um milagre.

Quero dizer a você que é preciso valorizar o que fazemos de positivo, as nossas conquistas, as nossas realizações. Mais do que isso: é preciso criar contextos para que essas realizações aconteçam.

Meu principal papel como coach nas minhas formações é exatamente este: criar os contextos necessários para que as pessoas manifestem os seus milagres interiores.

É uma falha achar que nós, coaches, mentores, ou mesmo os psicanalistas, somos os responsáveis pela ascensão ou cura de alguém. Somos atores, estamos no contexto, no processo, mas tudo se realiza a partir do que já está dentro de cada pessoa.

Os contextos são formados por um conjunto grande de técnicas que contribuem para que as pessoas se sintam em um lugar seguro para ser quem elas são. Isso nas formações em coaching. Mas os contextos cotidianos são suficientes quando estamos abertos a reconhecer nossas conquistas como milagres. Assim, os milagres acontecem naturalmente, organicamente.

Mostrar o nosso interior é algo íntimo demais. Você pode ter vivido cinquenta anos da sua vida com alguém e mesmo assim não ter se mostrado completamente.

O medo do julgamento nos encurrala. A autocrítica nos limita. Nossa força fica restrita a atender expectativas externas. Criamos nossa própria concha, onde podemos passar uma vida inteira.

Há um ponto de partida incrível para que você comece a manifestar seus milagres interiores: ousar descobrir e viver o seu maior talento.

Mas isso exige mostrar-se e sair da concha. Exige enfrentar a crítica.

Estamos em uma época de busca por sentido. Todos queremos transformar nosso trabalho em uma causa. Ninguém mais quer apenas ganhar dinheiro, mas ser remunerado por algo que faça a diferença no mundo. Isso só é possível se você der foco ao seu talento, porque usando nossos talentos atribuímos sentido às nossas atividades.

Qual é o seu maior talento?
_____
_____
_____

O que você faz que carrega uma assinatura, uma identidade sua?
_____
_____
_____

O que faz você dizer: "Eu faço isso muito bem e me sinto maravilhoso quando faço tal coisa"?
_____
_____
_____

Há muitos talentos que temos, mas decidimos, conscientemente ou não, deixar de usar. Isso ocorre pelas diversas pressões que sofremos. Somos pressionados, por exemplo, para termos carreiras que tragam prestígio, ou que gerem dinheiro em abundância. A verdade é que abandonamos nossos talentos pelo caminho em função disso.

Em muitos casos, nossos pais impediram o desenvolvimento dos nossos talentos nos direcionando para outra área e, hoje, nós repetimos esse comportamento com nossos filhos.

Meus estudos sobre as constelações sistêmicas me fizeram perceber que, sempre que alguém deixa de usar os seus talentos, isso causa um desequilíbrio no sistema (ou seja, no mundo). O universo atua para que todas as necessidades do mundo e das pessoas sejam supridas, e, portanto, quando alguém negligencia o seu talento, o sistema inteiro sofre, porque em algum lugar uma tarefa importante está em déficit.

Perceba, por exemplo, que há no Brasil uma falta grande de professores. Muita gente que, quando criança sonhou em ser professor, acabou desistindo por questões que vão desde a violência existente hoje contra os professores até a falta de prestígio social da profissão, passando, é claro, por baixos salários.

Assim, pessoas que um dia foram apaixonadas por ensinar, que poderiam ter sido excelentes professores, se tornaram alguma outra coisa e deixaram esse talento adormecer.

Resultado: faltam professores no mundo.

Por outro lado, há pessoas que estão trabalhando como professores sem nenhum talento para isso, apenas por necessidade financeira. Este é outro impacto importante no sistema.

Todo resultado é fruto de uma escolha consciente em que se somam atitude e crença positiva. Qualquer talento, por mais socialmente desvalorizado que seja, pode se tornar uma carreira de sucesso quando se tem atitude, paixão e entrega, somadas à crença de que é possível dar certo, de que é bom, de que é correto.

É fácil observar isso hoje, quando se veem tantos executivos abandonando postos importantes em empresas nacionais e multinacionais para abrir restaurantes, pousadas e escolas de idiomas, por exemplo. Nunca se viu, em nenhuma época, tanta gente buscando viver os seus sonhos por meio de seus talentos.

E você, tem essa ousadia?

Quando vivemos de nossos talentos, manifestamos nossos milagres. Porque todo talento é, por si só, um milagre individual.

Termos uma habilidade é um milagre da nossa existência.

É milagroso saber transformar um vegetal em uma refeição deliciosa, assim como é milagroso fazer de um tecido uma vestimenta.

O modo como uma bordadeira transforma linha e agulha em arte é milagroso. Também é milagroso o modo como as palavras do psicólogo transforma nossa vida.

Nossos talentos exigem que sejamos autênticos. Já falamos sobre essa palavra neste livro. A autenticidade parece algo meio utópico, porque, afinal, sempre temos um modelo, um espelho, alguém que nos inspira.

Os adolescentes buscam sua autenticidade de uma forma muito interessante: eles buscam ser autênticos dentro de grupos em que todos são quase iguais. Quase...

Encontrar nossa verdade interior é parte da resolução de um problema enorme, que é saber quem nós somos.

Quem você é como filho? Quem você é como esposa? Quem você é como amigo? Quem você é como profissional?

Você é como gostaria de ser?

Ou melhor: por que você gostaria de ser diferente do que realmente é?

Saber quem você é envolve também saber aonde você é capaz de chegar. E chegar a um lugar de sonho, a um lugar impossível, não é mágica, é vida! É o milagre da possibilidade. Se realizamos, é um milagre!

Neste ponto, convido você a compreender que todos podem duvidar da sua capacidade de realização, exceto você mesmo.

A determinação é o que nos faz realizadores de nossa própria vida e menos passivos e reclamões.

A determinação também nos coloca como produtores dos milagres. Se ficamos parados e algo de maravilhoso acontece, talvez seja realmente Deus ou alguma divindade em que cremos que esteja atuando, mas, se agimos, buscamos, colocamos nossos talentos em ação, ousamos ser autênticos e nos libertamos das pressões sociais, os milagres são criados por nós mesmos.

Todas as mudanças que alcançamos na vida são efeito dos milagres que produzimos apenas por existirmos.

Os milagres já existem dentro de você. Por que não manifestá-los? Por que não deixá-los emergir, florescer?

Veja que, quando falamos dos milagres, falamos não de forma, que é o externo, mas de essência, que é o interno. Não estamos falando de sorte, mágica ou acaso. Muitos acreditam que coaches têm uma receita mágica, mas a mágica é a manipulação da forma, do que está por fora, ou seja, uma ilusão. Nosso trabalho é com as estruturas sutis da nossa mente, que nos impactam de maneira muito mais definitiva.

Quais milagres você já realizou na sua vida? O que você já superou e conquistou? Por que não deu maior importância a isso?

Uma pessoa que nasceu em uma família muito pobre, de pessoas com pouquíssima escolaridade, e que chega a se formar no ensino superior, apesar de todos os obstáculos, precisou, para essa conquista, mudar toda a sua mente, neutralizando os discursos que diziam: "Para que isso?"; "Mas é muito esforço!"; "Você não vai conseguir".

Ao nos conectarmos com nossos milagres, geramos, imediatamente, uma mudança de percepção sobre quem somos, e isso se traduz em segurança a respeito de nós mesmos.

Uma coisa é você saber que pode, que é possível, que há chances de realizar coisas incríveis. Outra coisa é você estar seguro e confiante de que tem as respostas e as ferramentas para essas realizações. A segurança a respeito de si mesmo já é um efeito do milagre interno.

Uma outra palavra para falar sobre milagre é resultado. Pessoas realizadoras, solucionadoras, são pessoas de resultados.

O milagre é um fenômeno extraordinário, algo que era visto como impossível. O milagre é, portanto, um resultado, algo gerado por uma performance. É aquilo que de maneira grandiosa se conseguiu alcançar.

Resultado é gerado por crença + força de ação. Este é o segredo do milagre – se é que podemos chamar isso de segredo.

A crença produz a aceitação da própria existência. Existindo como ser único e especial, você pode acreditar, mesmo que ninguém mais acredite. Se você acredita, isso se torna verdade para você, porque diz respeito à sua vida e à sua relação com Deus.

É preciso crer que nós nascemos para gerar resultados, e esse deve ser o nosso principal foco como indivíduos. Independentemente do que isso significa para você e para a sua história, este é um dos nossos propósitos mais importantes para todos nós.

IMPULSIVO OU "DEIXA PARA AMANHÃ"

Tem quem aja no calor do momento e transforme um probleminha em uma guerra civil. Tem quem deixe para amanhã e transforme um problema em dois.

Chegamos a uma questão complexa: o tempo!

Quantas vezes você já pensou que precisaria de muitas vidas para realizar tudo que deseja? Quantas vezes você pensou que precisaria ter muito mais horas por dia para conseguir fazer tudo o que precisa fazer?

Para mim, o tempo é uma metáfora, e entender isso significa questionar o relógio e perceber que o tempo tem significados e singularidades. Significa que o tempo que nos escraviza foi organizado por nós mesmos e que podemos nos relacionar com ele de uma nova forma.

Se você já se queixou de falta de tempo ou de tédio, se você sofre com prazos no trabalho, ou está sempre atrasado, se você cria problemas para si mesmo e para os outros por agir impulsivamente, este capítulo é para você.

O danado do tempo é uma desculpa cotidiana. A suposta falta de tempo não nos deixa comer direito, namorar, visitar a avó, assistir a um filme que, quando vemos, já saiu de cartaz, retornar aquela ligação que ficou pendente, frequentar a academia, marcar uma consulta médica, fazer supermercado...

Tive uma assessora que morava muito longe e passava algumas horas no transporte – como, aliás, a maioria das pessoas em São Paulo. Comecei a perceber que ela estava com o rosto mais afinado e as roupas um pouco largas. Perguntei se estava fazendo alguma reeducação alimentar ou exercício e ela disse: "Não, é que não tenho tempo de ir ao supermercado comprar comida".

Meu Deus, ela estava emagrecendo por fome! Ou melhor, por "falta de tempo".

Como culpar o tempo pela decisão de não passar no supermercado?

O tempo nos escapa, como se vivêssemos em função dele. Mas, por outro lado, há coisas que exigem de nós tempo para refletir e, em algumas dessas situações, em vez de usá-lo a nosso favor, fazemos questão de agir impulsivamente.

Ao ouvirmos algo que nos desagrada, damos uma resposta atravessada, imediata, nos apressamos no assunto e não usamos tempo nenhum para pensar nas palavras. Ao sabermos de algo que nos afeta, corremos para tirar satisfação.

Temos uma ideia aparentemente maravilhosa de um novo negócio e, antes de planejarmos, corremos ao banco e tomamos um empréstimo. Alguém nos oferece um "negócio da China", com um valor especial e um parcelamento único, e, minutos depois, estamos assinando o contrato.

Quem nunca se arrependeu de uma decisão tomada às pressas, sem o devido tempo para planejamento?

O tempo é um elemento que impacta todas as nossas decisões e, por conseguinte, os resultados dessas decisões. Então, pense, como o tempo o afeta?

Há o tempo do relógio, que chamamos de cronológico. É o tempo dos compromissos, o tempo que mede o nosso dia, o tempo que nos engole.

Existe, por outro lado, um tempo que não tem métrica. É o tempo do significado, o tempo do tédio ou do entusiasmo, o tempo que passa de uma forma única e que produz sensações de prazer ou de incômodo.

Dez minutos no tempo do relógio, quando se está recebendo uma homenagem, nos impactam de uma maneira muito singular e podem, inclusive, nos dar a sensação de ter passado em segundos.

Dez minutos no tempo do relógio recebendo uma ofensa ou sendo acusados de algo que não fizemos podem dar a sensação de horas de dor e sofrimento.

Qual tempo foi maior?

Os nove meses de uma mãe que espera pelo bebê que nascerá são muito diferentes dos nove meses de luto pelos quais passa uma mãe que perdeu um filho.

O tempo nunca é o mesmo, percebe?

A sensação de rápido ou devagar, de tempo curto ou tempo longo, tem a ver com a emoção que envolve cada período.

Se você reconhece que tem tendência a resolver as coisas impulsivamente, talvez precise repensar o valor do tempo. Precisa saber que noventa segundos são capazes de deixar toda a raiva passar, baixar a tensão e nos fazer pensar melhor.

Se você reconhece que tem tendência a "deixar para amanhã", precisa reconhecer que às vezes esse hábito gera falta de foco, ou representa medo de agir.

Cautela e planejamento não podem ser confundidos com morosidade. Pergunte-se como usa seu tempo e veja quem é você: o apressado ou o procrastinador.

Voltemos ao apressado.

Supondo que você precise se mudar de casa em um tempo curto, é comum que a escolha de um novo imóvel se torne menos criteriosa. Afinal, há alguém cobrando que você saia de onde está!

Contudo, entre o pedido de entrega do imóvel atual até o último dia, há um prazo para que você se organize. Há também alternativas, como, no caso de não ter conseguido um apartamento agradável, enviar os móveis a um depósito e se hospedar com um familiar ou amigo até arranjar um apartamento definitivo.

O fato é que alugar o primeiro imóvel disponível pode ser uma dor de cabeça que transforma um problema em outro. Na verdade, prolonga um problema, em vez de resolvê-lo.

Quantos problemas causamos (ou causam a nós) em um término de relacionamento?

Todos os sentimentos destruidores que nos invadem precisam de tempo para ser sedimentados. Se não respeitamos isso, geramos novas situações problemáticas – perseguições em redes sociais costumam ser a forma campeã de gasto de tempo nesses casos.

É necessário o famoso respirar e contar até 10.

Acha que essa técnica é conversa fiada? De jeito nenhum.

Eu já ensinei a respirar. Sinta a planta dos seus pés em contato com o chão. Sinta o chão. Sinta o ar entrar em seus pulmões e encher seu diafragma. Seu abdômen se expande – não seu peito, seu abdômen. E você deixa o ar sair.

Respirar é um propósito equilibrador. Contar é uma forma de deixar o tempo passar.

Isso vale para os mais raivosos e impetuosos, mas também para os ansiosos – voltamos à ansiedade, mas por outro viés.

Ansiosos não conseguem esperar encontrar um negócio melhor, um preço melhor, uma oportunidade melhor. Enquanto o cartão não tiver passado e o contrato não estiver assinado, a adrenalina não dá sossego.

A sensação de comprar por impulso gera alívio justamente porque diminui a ansiedade. O ansioso precisa passar a ter controle das suas necessidades e das emoções ligadas à urgência. Tudo que é urgente tem chance de ser um mau negócio e de precisar ser refeito.

No outro polo, o indeciso gasta mal o tempo porque sua insegurança o faz perder oportunidades importantes: desde um namoro que demora a assumir a um convite profissional que, enrolando, acaba perdendo a chance de aceitar.

Insegurança e indecisão andam de mãos dadas, e ambas são formas ilusórias de tratar o tempo como um amigo solidário, que nunca pregará nenhuma peça.

Se alguém lhe solicita um orçamento, um projeto ou uma proposta de prestação de serviço, quanto menos tempo você levar para apresentar as informações, mais chances terá de ser aprovado. Não é porque alguém foi até você que o contrato está assinado e a oportunidade é sua.

Não leve "o tempo que quiser", porque o tempo corre, independentemente de nossa vontade.

A tecnologia nos coloca uma questão importante sobre a rapidez da vida contemporânea. Dez segundos não parecem ser nada, mas já viram como é difícil esperar dez segundos quando a internet trava?

A tecnologia parece ter tornado qualquer segundo de espera uma tortura. E repassamos essa pressão aos outros: se um amigo demora meia hora para responder uma mensagem, cobramos imediatamente o motivo.

Tudo isso também nos pressiona a ter soluções cada vez mais rápidas, urgentes. O mundo não pode mais esperar. Aqueles que não alcançam o nível de rapidez esperado na interação, na resolução e na produção estão aquém do que se exige hoje.

Essa aceleração do tempo nos coloca sempre em estado de alerta e tensão. Gera sofrimento, angústia e a sensação de que "algo não está certo". Tudo nos exige uma resposta rápida, e nem sempre temos essa resposta.

Perdemos o tempo de pensar.

Como achar a medida?

Essa medida do tempo é uma equação que considera o subjetivo e o social. É algo que vamos aprendendo sobre nós e sobre o mundo. Repito: nem tão rápido que a decisão não tenha sua maturação necessária, nem tão lento que a oportunidade passe.

É essa medida que nos faz compreender o tempo e não tomá-lo como um objeto – nem como amigo, nem como aliado. O tempo existe, estamos imersos nele. É a partir dessa verdade que pensamos nossa relação temporal, seja cronológica, seja a partir do sentido que o tempo produz.

O tempo como metáfora

Eu vivo dizendo que o tempo é uma metáfora, e isso não é tão difícil de compreender.

O tempo como unidade de medida foi construído na nossa civilização. A divisão em horas, minutos e segundos só entrou em nossa vida por volta do ano de 1650. Isso nos encarcerou irremediavelmente para sempre!

Quero dar como exemplo os cursos de formação que ministro no Instituto Brasileiro de Coaching (IBC).

Em geral, começamos o primeiro dia de nossa formação inicial às 10h. Saímos para o almoço por volta das 14h, o que já gera alguns comentários, porque, normalmente, libera-se um pouco mais cedo. Retornamos às 16h e acabamos quando "acaba o dia".

O que isso significa?

Que "só acaba quando termina".

Pode ser às 22h, ou às 23h, ou às 2h da manhã do dia seguinte. E o mais incrível é que, já no primeiro dia, as pessoas entendem que nós criamos o tempo. Ele deve nos ajudar a organizar nossa vida. Não devemos nada ao tempo, não temos que dar satisfação a ele.

Quem disse que você deve dormir às 23h e acordar às 7h? Quem disse que você deve almoçar ao meio-dia? E quem disse que depois de encerrar o expediente, às 18h, você deve bater o ponto e voltar para casa podendo ainda fazer tanta coisa?

Esse ciclo cronológico que seguimos desde criança, aprendendo o horário certo de entrar na escola, ir e voltar do recreio, comer, ir para o inglês e para a natação, é algo absolutamente inventado pelo homem. Nada nele é orgânico.

Até o nosso sono está condicionado a uma programação: se você dorme muito tarde, é um à toa que não faz nada; se dorme muito cedo, é um coitado que não aproveita a vida.

Entenda o seu tempo, o seu ritmo. Entenda como o seu tempo pode ser desintoxicado, o máximo possível. Isso não quer dizer que você vai chegar atrasado ao trabalho, mas que você vai encontrar uma medida única de tempo: a sua.

Quanto do seu tempo você gasta reclamando do próprio tempo?

A metáfora do tempo é justamente esta: o tempo em si não existe. Quer dizer, ele existe, porque as folhas caem, as frutas amadurecem, nós morremos e o dia nasce e vai embora. Mas o tempo não precisa ser a nossa cela.

Por que um treinamento deveria acabar às 20h?

A resposta mais frequente é: "Porque é o mais comum" ou "Porque é sempre assim".

E por que temos que manter sempre o padrão do comum?

O tempo que é aparentemente longo passa em outro ritmo quando você está envolvido com a tarefa a ser realizada. A mesma pessoa que dizia jamais aguentar quinze horas de treinamento é a primeira a dizer: "Não vi o tempo passar".

Isso porque o tempo do significado superou o tempo do cronômetro.

Se usamos o tempo na medida certa para nos dedicarmos a resolver um problema, não cairemos nas ciladas da ansiedade nem acumularemos coisas a serem resolvidas.

E, como ponto-chave, apontamos as prioridades de nossa vida.

Imagine que você trabalha até as 19h em uma agência de viagens. Hoje você deve encaminhar dez propostas de pacotes. Você conseguiu fazer apenas oito e, como todos os dias, foi embora pontualmente às 19h.

No dia seguinte, pela manhã, os dois clientes que não receberam o seu retorno ligam, buscando informações. Você, mais que depressa, argumenta: "Me desculpe, senhor, não tive tempo de terminar sua proposta ontem".

Nesse cenário, é preciso analisar os seguintes pontos:

Esses clientes só ficaram sem resposta porque você priorizou outras propostas, e não essas duas. Quais foram os critérios? As propostas de maior valor? Clientes que na sua avaliação tinham mais chances de fechar? O que norteou a ordem da resolução do problema?

Sair no horário padrão é mais importante do que terminar as dez propostas? Que critério de tempo é esse? Sei que há questões trabalhistas envolvidas, direitos garantidos por lei e outras questões contratuais, mas, nesse caso, finalizar as propostas não garantiria clientes mais satisfeitos e uma comissão maior no fim do mês?

No fim, o tempo estava lá, inteiro para você. O que fez com que dois clientes ficassem sem resposta não foi o tempo "curto demais", mas as decisões que você tomou.

Nossas decisões impactam o tempo; o que não pode acontecer é deixar o tempo impactar as decisões, o que pode gerar pressão, estresse e equívocos.

Quando temos muito tempo deixamos de decidir, e com pouco tempo decidimos mal.

Minha mãe tem hoje, na velhice, todo o tempo do mundo, porque o tempo dela é outro. Talvez, na velhice, a gente aprenda que ter fome é mais importante para decidir o horário de comer do que seguir o padrão de "meio-dia é hora do almoço".

Quando mudamos nossos critérios para ver o tempo, nossas prioridades mudam e nossa relação com a pressão do relógio se ressignifica.

E para você, o que faz o tempo parar? E o que faz o tempo voar?

Você decide mais no sufoco do momento ou deixa para decidir "outra hora", com mais calma?

Quais problemas o tempo lhe causa (ou você causa ao tempo)?

PROBLEMAS COM AS CRIANÇAS

Uma coisa injusta que fazemos é julgar os problemas, nossos e dos outros, comparando-os e dando tamanhos a eles. Não preciso nem dizer, é claro, que sempre achamos que nossos problemas são maiores e mais difíceis.

"Duvido que essa moça linda, magra, rica, com um namorado incrível, que viaja para todos os lugares, tenha algum problema na vida!", dizemos, sem realmente conhecer a vivência de cada um, seu estado emocional e suas relações familiares.

Quem nunca se pegou pensando em como é bom ser criança e não ter boletos para pagar, emprego para procurar, jantar para fazer e reunião de condomínio para ir?

Neste capítulo, meu diálogo é, sobretudo, com os pais, porque já ouvi ao menos uma dezena de vezes pessoas relatarem "problemas com os filhos" – coloco entre aspas porque entendo que, no fundo, esses adultos veem os filhos como problemas (mas o capítulo serve para todos, porque, não sendo pais, com certeza somos filhos: sou filho, logo existo!).

Sim, os filhos podem ser tomados como problemas pelos pais ou pelas pessoas que se tornam suas guardiãs. A criança não é um problema em si, mas o adulto pode vê-la assim.

A criança é uma bênção ou uma prisão que limita sua liberdade?

Depende de como você vê e de como se relaciona com o fato de ser pai, mãe ou cuidador de alguém.

Repetirei: o filho não é um problema em si. O adulto, sim.

Uma criança representa, para a família, um conjunto de responsabilidades que muitas vezes (na verdade, quase sempre) implica uma mudança de rotina, perspectiva e propósito de vida. Mudanças sempre provocam resistência, ainda mais quando estão ligadas a abrir mão de algo.

Há uma ferramenta de coaching chamada Shazam em que o coach pergunta para o coachee: quais foram os três momentos mais maravilhosos da sua vida?

Quer responder?

_____

_____

_____

Depois: quais foram os três momentos mais terríveis da sua vida?

_____

_____

_____

Essa ferramenta nos ajuda a encontrar nossa sustentação e nosso desequilíbrio. Sabendo o que aconteceu de maravilhoso na sua vida, você reconhece seus valores e seus sentimentos mais benéficos. Sabendo o que o marcou negativamente, você entende o que precisa ressignificar para que a vida possa seguir de maneira mais leve, com a oportunidade de perdoar e se libertar da culpa.

Mas vamos a uma curiosidade: sabe qual é a resposta mais recorrente para os momentos maravilhosos? Sim, o nascimento de um filho.

Não me lembro de, em todos esses anos, uma mãe não ter respondido "nascimento do filho". Sobre os pais, não tenho tanta certeza. É certo que as mães estão muito mais ligadas ao nascimento de um novo ser que foi gerado em seu ventre. Os pais precisam construir esse vínculo, e muitos fraquejam diante dessa tarefa.

O fato é que conceber uma criança, para as mães em sua quase totalidade e para os pais em uma boa maioria, é reconhecidamente um acontecimento extraordinário. Menos extraordinária, porém, é a responsabilidade que vem com esse nascimento – afinal, ter um filho não é apenas gerá-lo. A responsabilidade é perene, ou pelo menos até que o filho se torne adulto e passe a tomar conta de sua própria vida (mas, na verdade, nem depois disso).

Amamentar, prover outros alimentos, higienizar, aquecer e medicar quando necessário é o básico que deve ser feito. Nessa lista não estão inclusas as tarefas que dependem do vínculo afetivo, como ninar, acalentar, apoiar o desenvolvimento global…

Sair com os amigos torna-se raridade. O choro, um incômodo para o sono. Os pais veem que suas vidas agora estão ligadas a uma outra vida, totalmente dependente. Não somos mais prioridade. Qualquer plano envolve considerar primeiro o novo integrante da família: "E como vamos fazer com o neném?", "Lá nesse restaurante tem espaço *kids*?", "Não podemos mudar de apartamento porque não tem quarto para a criança".

Seria isso um problema? Que sentimentos você tem a respeito dos seus filhos (hoje ou quando eram crianças)?

Quando vemos uma criança como um problema, estamos incorrendo em dois erros muito sérios: o primeiro é tomar a responsabilidade do cuidado como um peso, algo negativo e punitivo; o segundo é desconsiderar o mundo da criança, julgando-o como menor e menos importante.

Sobre o primeiro, já teci alguns comentários neste mesmo capítulo, mas cabe dizer que, desde Aristóteles, na Grécia antiga, já se tratava sobre a responsabilidade moral. *Grosso modo*, separamos o dever do desejo: o desejo habita o campo da realização, e o dever, o campo da responsabilidade.

Desde sempre nos acostumamos a separar o que é bom do que é ruim e, adivinhem: na nossa construção mental de duas colunas, o dever costuma ocupar o campo do que é ruim. Assim, todas as nossas responsabilidades parecem ser o pior do nosso dia, porque é algo que "devemos" fazer, e aquilo que devemos está longe do que queremos, o que estaria na coluna do desejo.

EU DEVO	EU DESEJO

A separação entre o "devo" e o "desejo" segue a linha do bom e do ruim. Nessa coluna, onde estaria "cuidar dos filhos"? Na coluna do dever ou na coluna do desejo? Isso significa que cuidar dos filhos é algo ruim?

O problema não é a criança que vive na sua casa, seja seu filho ou sua filha, irmão mais novo, sobrinho ou mesmo algum vizinho. O problema é você, que não aprendeu a lidar com crianças. Mas isso tem solução!

Compreender o mundo da criança e suas peculiaridades é um grande exercício de conviver com a diferença. Não importa o que as mães e os pais querem: a criança vai gritar, vai correr, vai chorar, vai jogar coisas no chão. Ela grita porque está testando sua produção sonora, sua capacidade de falar; ela corre porque faz parte do seu desenvolvimento explorar o mundo; ela chora porque é a forma que tem de demonstrar irritação, frustração (a famosa birra) e, principalmente, dor, física ou emocional; e ela joga as coisas no chão porque está testando os materiais do mundo, sua resistência, textura e funcionalidade.

O problema não é o mundo da criança; é você que talvez não esteja preparado para ele e, por isso, se sinta irritado, impaciente, se torne violento e tenha a sensação de que teria sido melhor não ter tido filhos.

Sim, as pessoas podem se arrepender, inclusive, de ser pais e mães. Honro e respeito os sentimentos de cada pessoa. As mães, sobretudo, carregam nos ombros o peso de uma cobrança social muitas vezes desumana. Elas não têm direito de ter outros sentimentos que não o de amar a maternidade. Isso é quase cruel, é um julgamento que não cabe a ninguém.

Muitos pais, quando participam da criação das crianças, chegam do trabalho cansados e são indiferentes aos cuidados básicos e à atenção que o filho requer.

Todos querem a parte boa das crianças – os carinhos, os sorrisos, as brincadeiras –, mas o cuidado envolve a responsabilidade sobre esse ser em desenvolvimento, tanto biológico quanto emocional e social.

Eu tenho algumas percepções particulares sobre o assunto, tanto por ser um curioso e estudioso do desenvolvimento humano quanto por ser pai de quatro pessoas incríveis, que me dão muito orgulho.

Minha primeira percepção diz respeito à culpa que os pais carregam. As mães sentem-se pressionadas a atingir um nível de cuidado em que o erro não tem vez. Os pais sentem-se culpados por não estarem presentes por mais tempo. Ambos, muitas vezes, sentem-se culpados por não gostarem de ser pais, não gostarem dos cuidados com a criança. Mas, embora sintam essa angústia, sabem que não podem declarar esse sentimento para não serem esmagados pelo julgamento da sociedade.

Acredito que devemos aprender que a responsabilidade não tem obrigação nenhuma de ser um "desejo". Não há problema nenhum em considerar a responsabilidade um dever. A coluna dos deveres, na tabelinha do início deste capítulo, não é "do mal".

Deveres não são necessariamente ruins, mas, mesmo que o sejam, devem ser encarados como inerentes à vida, como as leis que devemos cumprir ou os nossos deveres profissionais. Isso envolve nossa capacidade de nos responsabilizarmos pela nossa vida e pelos nossos atos.

Quando encaramos os deveres como responsabilidades, e não como punição, como uma parte necessária, e não como a pior parte, nossa tensão e nossa irritação diminuem e nossa aceitação aumenta.

A culpa é o sentimento mais cruel, destruidor e desumanizador que uma pessoa pode carregar. Já falamos sobre culpa neste livro, mas não há como escapar de nos referirmos a ela sempre.

Outra percepção que tenho diz respeito a expectativas ilógicas que criamos sobre a criança. Querer que a criança fique sempre quieta, calada e obediente é irreal. O desejo por uma criança assim é a prova do despreparo e da criação de falsas esperanças.

Com certeza você já ouviu alguém dizer: "Quando eu tiver um filho, ele jamais vai fazer uma birra dessas no meio do shopping. Não vai mesmo!".

Sabe o que acontece com essas pessoas? Elas têm filhos e os veem repetir a mesma cena.

São próprios do universo e do desenvolvimento da criança a agitação, a desobediência, o teste aos limites dos adultos... Não lute contra essas situações, pois será uma batalha perdida e cheia de sentimentos negativos.

Estamos na era da informação: basta um clique em uma rede social qualquer e você terá acesso a uma série de especialistas ensinando a lidar com as crianças em todas essas situações chatas e irritantes. Aprenda a aprender. Essa pode ser, inclusive, uma fase incrível de descoberta para você. O diálogo com outros pais também é uma ótima ferramenta. Você deve ter algum amigo que seja pai, há pouco tempo ou não.

Uma terceira percepção que tenho é que nós ignoramos e debochamos dos sentimentos das crianças e dos adolescentes. Acreditamos que os nossos problemas, os problemas dos adultos, são importantíssimos e que os problemas das crianças e dos adolescentes são uma bobagem qualquer.

Quando uma criança briga com o amigo e fica chateada, isso, para ela, é a descoberta de um sentimento novo. Alguma coisa está acontecendo dentro dela e ela não sabe como lidar com isso. Ela gosta do amigo, mas sente que ele fez algo ruim. Como lidar com essa situação?

Você, adulto que me lê agora, também não sabia. Talvez você também tenha precisado de alguém que lhe dissesse o que fazer ou que pelo menos o ouvisse. Que tal fazer diferente? Não vai ser bom?

O primeiro amigo sempre vem acompanhado das primeiras brigas. O primeiro amor sempre vem acompanhado da primeira rejeição ou do primeiro beijo. Tudo isso, para o adulto, é bobagem, mas a criança não é adulta. Tudo isso é a vida dela, e para ela é grande demais, pesado demais.

Algo importante de se compreender é que a criança e o adolescente não têm noção da finitude das coisas. Para uma criança, uma situação de sofrimento não tem fim; ela não sabe que aquilo vai passar, porque a sua experiência de vida é muito pequena. A criança sofre, e pronto. Parece, para ela, que a vida é sofrimento e só.

Isso tem se tornado um elemento grave e alarmante. Não é à toa que as situações de *bullying* têm ganhado repercussão nos últimos anos. Foi preciso muito tempo para percebermos que o sofrimento infantil é algo sério e que precisa da nossa atenção.

Nunca em nossa história precisamos falar sobre suicídio de crianças e adolescentes, mas, de repente, esse fato bateu à nossa porta de uma maneira triste e assustadora. Dados recentes do Ministério da Saúde informam um aumento de 0,4% nas notificações de suicídio de crianças entre 10 e 14 anos nos últimos anos. É assustador que alguém que mal começou a viver queira parar o movimento da vida.

Não quero tratar essa situação de forma rasa, mas quero chamar atenção para um entre todos os elementos que compõem esse tema: o descaso com os sentimentos dessas crianças e jovens, expresso em frases como "Vai passar, é só uma criança".

E se por um lado achamos que tudo na vida das crianças e dos adolescentes passa, por outro queremos que eles tomem decisões definitivas, como a faculdade que vão cursar. Exigir que um jovem de 14 ou 15 anos defina uma profissão para a vida inteira é agregar a ele mais pressão e, por conseguinte, mais sofrimento. Se ele define errado e para uma faculdade no meio, reclamamos de quanto dinheiro foi jogado fora. Mas não foram os pais que exigiram essa decisão justamente em uma fase de indecisões?

Em contrapartida, em questões muito mais simples, não deixamos que eles decidam, porque "são muito novos", e os forçamos a imposições dos adultos. É claro que todo pai busca o melhor, mas cada um deve encontrar o limite entre a proteção e a interferência na personalidade e nos desejos das crianças.

Se não ajudamos as crianças com seus problemas, nos tornamos, indiretamente, potencializadores desses problemas, por negligência. No caso da vida, isso independe de sermos pais: todos os que convivem com as crianças devem prestar atenção a sinais de descrença da vida.

Não ignore, interesse-se.

O interesse talvez não seja natural, mas é possível construí-lo. Talvez, naturalmente, você seja do tipo que não liga para o que a criança ou o adolescente passa ou sente, mas, se entender que precisa se interessar, aos poucos isso vai se transformando de um dever em algo mais cotidiano.

Uma última percepção, mas não menos importante, é sobre a nossa linguagem. Você pode criar problemas para si mesmo e para a criança no futuro se não observar a forma como fala com ela. Toda linguagem é absorvida inconscientemente e será constituidora da personalidade, das crenças, dos sentimentos e, é claro, da linguagem desse sujeito.

Entenda, por exemplo, que nenhuma criança "é" alguma coisa. A criança ainda não é nada, é apenas criança. Logo, ela não "é" mal-educada, nem "é" violenta. Em algumas fases, a criança responde mais aos adultos, enquanto em outras mostra-se um pouco mais agressiva, porém todas essas situações compõem o seu desenvolvimento.

Nunca diga para uma criança, sobretudo com tom de repreensão e crítica, que ela "é burra" ou algo depreciativo. Tudo que o adulto diz sobre a criança a ajuda a criar uma imagem de si mesma. Isso gera uma crença dificílima de transpor na idade adulta.

Exalte sempre a conquista de um novo conhecimento, uma nova palavra, uma ação correta. Mesmo a criança mais agitada e difícil de lidar faz alguma coisa boa. Ela vai acertar e, quando isso acontecer, precisa ter seu acerto reconhecido.

Uma lição muito comum na neurolinguística e que pode ser aplicada ao desenvolvimento infantil é a troca do "não" pelo "sim". Troque o "Não mexa nisso" por "Que tal se a gente agora brincar disso aqui?".

Estudos da Programação Neurolinguística (PNL) mostram que o "não" sempre é anulado pelo nosso cérebro, ele não registra o "não" com a mesma automaticidade com que registra o "sim". Então,

"Não brinque com isso" torna-se "Brinque com isso". Se você diz: "O que acha de brincar com aquilo ali?", cria uma possibilidade e, assim, aumenta a tendência da criança ou do adolescente de seguir sua instrução.

A repreensão é indispensável. Vivemos afirmando que a criança precisa aprender o que é "não", mas há uma fase, justamente na primeira infância, em que esse "não" será inútil. Dê limite com a linguagem correta.

A linguagem usada diante de alguém em fase de desenvolvimento é crucial para o adulto que se está formando, e por isso pais, irmãos mais velhos, tios, avós e outros adultos usam uma nova forma de comunicação perto da criança, principalmente quando se dirigem diretamente a ela e seus atos.

Se os seus problemas estão na lida com as crianças, você precisa aceitar essa oportunidade de aprendizado. Ninguém é obrigado a gostar de criança, mas, se elas estão sob sua responsabilidade, aprenda a transformar o dever em algo natural, em vez de algo ruim.

Os desejos

Para finalizar, quero pontuar algo sobre os desejos, agora que já falamos o suficiente sobre os deveres.

A filosofia de Aristóteles nos dá uma pista importante para entender os desejos e sua relação com nossa mente racional. Para essa compreensão sobre os desejos, ele os distingue em três: o impulso, o apetite e o querer (*thumos, epithumia* e *boulêsis*, respectivamente).

O impulso é a ausência total de razão, um desejo sobre o qual temos pouca condição de controle. Quando acontece uma agressão ou uma injustiça e partimos para cima do agressor, por exemplo, agimos por impulso. Fazemos sem pensar porque o desejo dentro de nós foi maior que nossa capacidade de racionalização.

O apetite é a vontade de saciedade, o desejo ligado a tudo que produz prazer. Nosso paladar (quando queremos comer algo muito gostoso) e nosso tato (quando queremos acariciar alguém) são sentidos ligados ao apetite. Buscamos realizar esses desejos porque nos provocam prazer, sensação de bem-estar e felicidade momentânea.

Tanto o impulso quanto o apetite compõem a parte irracional da nossa alma, da nossa mente, o que não quer dizer que eles não possam ser racionalizados, mas que operam independentemente da razão. Veja que um dos primeiros aprendizados da criança no que concerne à sua vivência em sociedade é o controle dos impulsos e do apetite.

Por fim, para Aristóteles, temos o querer. Esse desejo funciona de duas maneiras interessantes: primeiro, como um mecanismo de controle dos outros dois desejos. Por estar bastante ligado à razão, o querer nos conduz à pergunta: "Eu desejo isso, mas isso é bom?". O querer nos diz se determinada atividade é boa ou não, no sentido de julgamento de valor.

Depois, ele produz a busca por algo que não é necessariamente desejável, mas que é importante. Você passa a querer, então, algo que inconscientemente não desejaria. É o caso de quando tomamos um remédio: não desejamos o remédio, mas o queremos porque ele pode nos curar. O mesmo ocorre quando você detesta exercícios físicos, mas os pratica por questão de saúde.

Governando os nossos desejos, a razão nos conduz a uma diminuição das sensações e das emoções envolvidas. Quando se trata do convívio com crianças, mesmo que ele não seja desejado, é importante ter em mente a importância e a responsabilidade que essa convivência envolve. Isso nos faz agir, para com elas, de maneira moderada, jamais impulsiva.

A moderação, aliás, é o grande ganho da razão sobre as emoções negativas, em especial as ligadas aos impulsos. Essa postura nos ajuda a resolver os problemas que consideramos ter e a evitar problemas futuros, tanto para os sujeitos que ajudamos a formar quanto para nós, em outras fases de nossa vida.

QUEM "QUEBRA" ENRIQUECE (OU OS 4 TIPOS DE RIQUEZA)

Há uma pesquisa realizada por uma agência estadunidense, mas que engloba casos no mundo todo, que afirma que os empresários bem-sucedidos quebraram suas empresas em média 3,5 vezes antes de alcançarem o sucesso e a estabilidade.

Problemas no trabalho? Quem não os tem?

Não quero tratar aqui apenas do empreendedor, de quem se aventura a investir no sonho de tornar-se empresário, mas de toda pessoa que busca prosperidade financeira, o que chamo de construir um *mindset* milionário.

Se o termo *mindset* não for agradável ou não fizer muito sentido para você, mude-o sempre para "mente", não há problema.

Mudar padrões mentais é a atividade que vale 1 milhão de reais.

Eu passei por três grandes crises financeiras antes de conseguir estruturar uma empresa bem-sucedida tanto em termos de congruência entre sua missão e o produto que ela entrega quanto em saúde financeira e administrativa.

Não tenho dúvida nenhuma de que as crises que tive no passado foram definidoras do lugar aonde consegui chegar, sempre com a colaboração indispensável do meu filho Marcus Marques e da minha família em geral, além dos parceiros incríveis que agregamos ao longo dos anos.

Mesmo que você tenha estudado nas melhores escolas de negócios do mundo, mesmo que tenha um calhamaço de diplomas embaixo do braço, mesmo que tenha tido os melhores mentores e coaches, ao empreender, nada substitui a experiência, a vivência. É por isso que, na outra ponta, existem megaempresários que nem sequer têm diploma de curso superior.

Quando se trata de negócios, o caminho que você toma é indiferente, pouco importando se começa pelas faculdades ou se pensa nisso mais tarde. O que é realmente importante é saber que quebrar financeiramente não é um problema tão grande quanto parece.

Uma crise financeira é um sintoma. E o que é um sintoma? Quando você tem febre, a febre não é a sua doença. Sua doença é outra coisa, está em algum lugar desequilibrando seu organismo, e a febre aparece como um sintoma, ou seja, um indicativo de que algo está errado.

Uma crise financeira é como uma febre: ela indica que você fez algo de errado, e, como eu disse, não há diploma no mundo que nos impeça de errar. O erro é inerente ao fazer humano, não o supervalorize.

Quebrado, sem dinheiro, com pendências jurídicas e cobranças familiares, o desespero se aproxima e, se você deixar, se instala. É nesse ponto que você tem que agir, impedindo que as emoções negativas o impeçam de repensar e recomeçar.

Você se lembra dos 7 traços da maturidade humana? O sétimo traço é o recomeço.

A crise não é um sinal de que você deva desistir, principalmente se empreender é um sonho. A crise é um sinal de que você pode fazer melhor fazendo diferente. O recomeço é uma condição. O que significa, para você, ter de recomeçar?

Acontece que a crise nos obriga, ao menos momentaneamente, a mudar o nosso padrão de vida. É preciso mudar para um carro mais simples, morar em um condomínio mais popular, suspender as viagens e compras. Tudo isso pode gerar algum sofrimento, mas esse sofrimento é importante para pensar em como nos apegamos ao supérfluo e abandonamos o essencial.

Talvez seja essa uma lição importante na crise, não?

Apegue-se à média: quebrar significa que você está no caminho certo para ter sucesso. É preciso ter algo simples e quase clichê: persistência.

Persistir parece um ato realmente banal, mas a persistência diz muito sobre as nossas paixões. Uma pessoa apaixonada não pensa em desistir do objeto de afeto. Uma pessoa apaixonada comete as maiores imprudências para chamar atenção de quem lhe provoca tamanho sentimento. Pergunte um homem ou a uma mulher apaixonados do que eles seriam capazes. Pergunte se, sendo rejeitados, desistiriam.

Alguém apaixonado por empreender, por construir ou ajudar a construir uma empresa não vê a desistência como uma possibilidade. Logo, achar bobagem continuar tentando pode indicar que sua energia está sendo direcionada para algo que não faz tanto sentido para você. No fundo, não está dando certo porque sua paixão não está "aqui".

É inevitável e necessário deixar um tempo para reflexão. A falência nos leva a pensar uma série de questões, e é importante sairmos desse período de contemplação com algumas respostas ou, pelo menos, suposições.

Por que não deu certo? O que poderia ter sido feito de diferente? Meus propósitos eram suficientemente nobres? Eu estava oferecendo o meu melhor?

Uma frase que se tornou quase um bordão nas minhas palestras é: "Empresas são resultados de pessoas". Quando montamos um time, é importante pensarmos na energia que essas pessoas emanam. A capacidade técnica, é claro, o quociente comportamental, de fato... mas a energia! Esta faz toda a diferença.

Nas minhas empresas, contratamos pela energia. Ela é o elemento definidor de quem fica e de quem não entra – ou de quem sai. Quando a energia da pessoa não se conecta com a da empresa, ou quando deixa de ser aquela de antes, perde-se em produtividade, em entrega, em propósito. Tudo fica abaixo do esperado, porque a energia mudou.

Que energia você emana no seu dia a dia de trabalho? Que energia você recebe das pessoas que trabalham com você? Que energia você sente ao chegar à sua empresa?

Energia não é misticismo, é física. Tudo é energia, mesmo aquilo que não é orgânico. Foi assim que se fez o nosso mundo, com as partículas. É inevitável sentirmos a energia de um lugar, de uma pessoa.

Quando falo que empresas são resultados de pessoas, quero dizer que, mesmo que se tenha uma tecnologia de ponta, nada se faz sem o fator humano, a começar por quem pensa e constrói o negócio.

Aliás, a empresa é a alma do seu fundador – este é o nome que eu dou ao que se conhece popularmente como "cultura organizacional". A alma do fundador é o principal pilar de uma empresa. Quando o conjunto se distancia dessa alma, desse propósito, as coisas passam a não caminhar tão bem.

Em todas as crises que eu tive, percebi que havia uma desconexão entre o negócio e o meu propósito inicial, que a empresa havia se perdido em algum momento. Alguns times que montei também não se conectavam comigo.

Eu costumava sempre atribuir a razão à má administração, até entender que administrar é uma capacidade humana, que conduzir processos é uma capacidade humana, que pensar o processo é uma capacidade humana. A partir desse entendimento, me tornei um expert não só em desenvolvimento humano, mas em desenvolver a humanidade nas pessoas que a haviam perdido.

Quebrar não é uma questão financeira, é uma questão humana.

Prosperidade e os 4 tipos de riqueza

Prosperidade é um conceito que tem ganhado destaque nas discussões sobre enriquecimento. Pensando a vida a partir da prosperidade, percebemos o mundo como um lugar cheio de possibilidades, pulsante, vivo, ilimitado e infinito. Quando enxergamos o mundo apenas pelo viés financeiro, temos um cenário repleto de obstáculos, crises, problemas. Qual das duas percepções você escolhe?

Acostumamo-nos a ver dinheiro, mas não a ver prosperidade; estamos acostumados a ver belas casas e mansões, mas temos dificuldade de enxergar o lar e o conforto; vemos grandes empresas e organizações, mas não temos olhos para o propósito que transcende o lucro.

Se há uma certeza sobre a geração atual, é que ela busca significado em tudo que faz. Tudo deve estar conectado a um sentido maior, a uma causa. Por isso é uma geração que tende muito mais ao caminho da prosperidade, como consequência de uma vida com propósito.

Ter um propósito é entender que tudo o que fizermos por nós influenciará a vida de todo mundo, que o nosso crescimento é também o crescimento e o engrandecimento da humanidade. A abundância e a prosperidade serão consequências naturais de uma vida que tiver como intuito impactar o mundo, e não apenas viver nele.

Por isso, enriquecer passou a ser muito mais do que apenas acumular dinheiro. Com exceção dos corruptos, ninguém mais busca uma melhoria de vida a qualquer preço. Quer-se enriquecer, mas contribuindo para o mundo, descobrindo algo inovador, construindo um legado.

Descobri então que a riqueza tem 4 dimensões, 4 formas, 4 aspectos. Esses 4 aspectos não são concorrentes ou antagonistas, pelo contrário: é o equilíbrio entre essas 4 formas de riqueza que nos conduz ao sucesso, sobretudo material.

Os 4 tipos de riqueza são: material, espiritual, emocional e relacional.

A riqueza material costuma, é claro, ser a busca primordial da vida de muita gente, uma vez que possibilita a conquista de todos os nossos sonhos "compráveis". Contudo, a riqueza material diante do desequilíbrio emocional, de relações conflituosas e agressivas, de uma espiritualidade em desalinho, jamais trará qualquer tipo de benefício.

Se os seus problemas estão relacionados à profissão, a empreendimentos ou à busca de enriquecer, talvez buscar a prosperidade equilibrando as quatro riquezas possa ser um caminho. E isso só depende de você.

A riqueza material é a mais óbvia. Ela diz respeito ao valor que atribuímos ao campo físico, aos objetos móveis e imóveis. É o patrimônio que conseguimos acumular, que recebemos das gerações anteriores e passamos para as próximas gerações. Ser rico envolve conseguir dinheiro, administrá-lo e atribuir a ele um significado. Tudo isso compõe a nossa riqueza material.

Sempre digo em meus treinamentos: "Ame as pessoas, leve-as para um próximo nível, faça a diferença no mundo... mas sem dinheiro você morre, fecha seu negócio e não consegue nada disso".

É piegas dizer que a riqueza material não importa. Importa, e muito. Nós merecemos e temos o direito de ter uma vida digna, de morar em um lugar que tenha as mínimas condições de estrutura e saneamento, ter condições de transporte, uma alimentação com todos os itens necessários, roupas de qualidade e oportunidades de lazer. Riqueza material não é luxo (luxo, em geral, é excesso), riqueza material é não viver em escassez de recursos.

Sobre a riqueza espiritual, vale lembrar que a espiritualidade é diferente da religiosidade. A prática religiosa é algo completamente individual e subjetivo. A espiritualidade é uma dimensão do homem que independe de sua religiosidade. A pessoa pode até negar a existência de Deus, como os ateus, mas a espiritualidade, sua condição etérea, não está submetida à sua razão. Ela apenas existe.

Contudo, quando essa espiritualidade que naturalmente existe em nós recebe atenção e cuidado, quando a trabalhamos, nos conectando com o mundo e percebendo a ligação ancestral que existe dentro dos ciclos milenares que formaram esse universo, ganhamos um potencializador das nossas forças e virtudes.

A riqueza espiritual gera em nós bondade, capacidade de perdão, humildade, senso de propósito, consciência da unidade.

Já a riqueza emocional está relacionada tanto à nossa capacidade de experienciar as mais diversas emoções, sem nos esquivarmos da tristeza, da raiva, da frustração, quanto à nossa capacidade de gerar, nos outros, esses mesmos sentimentos.

Uma pessoa rica emocionalmente entende que todas as emoções são parte do ser humano. Não faz sentido evitar uma emoção ou, emocionando-se, evitar demonstrá-la.

Há pessoas que perdem a sensibilidade à medida que suas contas bancárias aumentam. Quanto mais ricas, menos empáticas, menos sensíveis, menos conectadas com os demais. A riqueza emocional gera aquele sentimento extraordinário tão comentado atualmente: a empatia.

Por fim, há a riqueza relacional. O velho Vinicius de Moraes já sentenciou: "É impossível ser feliz sozinho".

Quando eu ainda tinha algum tempo para assistir a novelas, acompanhei uma grande obra da dramaturgia brasileira chamada *Por amor*. É aquela novela em que a personagem Helena troca o bebê de sua filha, morto logo após o parto, pelo seu próprio bebê, saudável, o que gera a pergunta central da trama: "O que você faria por amor?".

Pois bem, nessa novela havia uma vilã chamada Branca. Uma mulher muito rica, arrogante, preconceituosa e, sobretudo, manipuladora. O grande objetivo de Branca era controlar a vida de todas as pessoas: filhos, marido, noras e até os amigos mais próximos. Tudo deveria acontecer como ela acreditava ser o certo.

Depois de cultivar muitos relacionamentos por interesse, comprar a amizade de muita gente, manipular, mentir, enganar e gerar sofrimento, Branca viu todas as suas relações se deteriorarem.

A última cena de Branca é muito significativa. Ela se senta no sofá, pede uma bebida e convida para se juntar a ela e acompanhá-la no drinque a empregada que sempre desprezou.

Branca, assim como todas as pessoas que não aprendem a se relacionar, acabou sozinha. Rica, entretanto sozinha.

Fico imaginando que, enquanto você lê esta história, deve estar pensando em como gostaria de ter todo o dinheiro da família de Branca na novela. Mas será que você gostaria de ser a personagem se soubesse como seria o seu final?

Nada no mundo substitui a felicidade de construir relações de afeto e respeito.

Chegar à empresa e receber sorrisos de bom-dia, abraços, mensagens. Ter amigos para sair no fim de semana, combinar um cinema e até uma viagem juntos. Ter uma família que o acolhe, pais e irmãos que sejam amigos, que troquem confidências e que se ajudem.

Acredite: as relações humanas são as grandes riquezas da vida.

Se você quebrou uma empresa e está falido, o único apoio que pode encontrar está nas pessoas que o cercam. Mas e se não houver ninguém ao seu lado nesse momento? Só haverá pessoas que lhe deem suporte se você, quando estava em um bom momento financeiro, cultivou boas relações, buscou sua maturidade emocional e desenvolveu sua espiritualidade.

É na hora da falência que entendemos que outras formas de riqueza nos confortam e nos equilibram. Saber disso é a única maneira de conseguir recomeçar.

Se você falisse hoje, quem seria o seu suporte?

Se você falisse hoje, como lidaria com suas emoções?

Se você falisse hoje, Deus o ouviria? Se não Ele, quem?

O EQUILÍBRIO TOTAL É A MORTE

Deixo como um dos últimos capítulos deste livro uma lição que ensino cotidianamente quando as pessoas me procuram bastante preocupadas com uma vida "muito problemática". Essas pessoas me procuram tentando construir uma vida sem problemas, totalmente equilibrada, sem brigas, sem dificuldades financeiras, sem crises de identidade.

Querida pessoa que me acompanhou por todos esses capítulos, quero explicar por que considero impossível uma vida sem problemas: a ausência de problemas significa equilíbrio total, e só estaremos em equilíbrio total quando morrermos.

A morte é o único indicador do fim dos problemas – pelo menos dos problemas que conhecemos enquanto vivos.

Não é uma conversa fúnebre nem polêmica. É muito simples, na verdade.

Só há uma forma de você continuar evoluindo, e essa forma é viver. Estar vivo é, ao mesmo tempo, uma condição fixa, porque a vida é um fato, e uma condição de impermanência, porque ela carrega em si a mutabilidade, ou seja, a vida muda, está sempre em movimento.

Estar vivo é estar em movimento. Para que o seu corpo esteja em condição de vida:

O seu coração bate, fazendo o sangue correr por todo o seu corpo.

Seu diafragma coordena a expansão e o encolhimento do seu pulmão, construindo o seu respirar.

Suas células estão se multiplicando e se reconstruindo – as sinapses no cérebro estão em seu ápice.

Seus músculos estão contraindo, se esticando, se movendo...

A melhor palavra capaz de descrever a vida é MO-VI-MEN-TO.

O movimento da vida pode ser observado claramente nas questões orgânicas. Nascer, crescer, envelhecer e morrer são o resultado do dinamismo do nosso corpo. Um corpo completamente estático está indo contra a vida, porque a vida não cabe na inércia.

Quando uma pessoa tem algum tipo de deficiência física severa, com paralisia total da musculatura, é preciso que alguém – preferencialmente um fisioterapeuta – movimente esse corpo, massageando-o, dobrando e esticando, erguendo e abaixando... Quando o corpo não é capaz de movimentar-se por si só, realizamos manualmente esse movimento.

Pois bem, a estagnação é o avesso da vida. A inércia é a antivida.

E se isso é verdade para o corpo, também o é para a nossa mente, para o nosso espírito, para as nossas relações. Alguém que se enclausura, rejeita o contato social, se isola, aprisiona sua linguagem está socialmente morto e mentalmente com sérios problemas.

O movimento da nossa vida mental acontece nas nossas descobertas, nos aprendizados, no exercício da reflexão, agitando nossos pensamentos, e na meditação, acalmando esse fluxo.

Nossa mente se movimenta sempre que exercitamos o fortalecimento de algumas verdades, conceitos, ideologias, e quando descobrimos que estávamos errados e nos damos o direito de mudar, de pensar diferente.

Uma pessoa que sustenta as mesmas opiniões e crenças a vida inteira pode ter tido uma vida mental pouco movimentada – mas isso também pode ser sinal de que houve intenso movimento, só que em uma única direção, logo, sem nenhuma mudança.

Os movimentos das nossas relações acontecem no ir e vir de amigos, namorados, conhecidos, parentes e agregados. Se você tem um amigo de infância com o qual ainda se relaciona, deve se sentir muito grato por isso. Em geral, as amizades vão e vem conforme o trabalho que temos no momento, o prédio onde moramos, os ambientes que frequentamos...

Na espiritualidade, os movimentos são os mesmos. Em um momento sentimos uma fé incrível, em Deus, na vida, nas pessoas. Em outro, sentimos uma descrença profunda. Duvidamos de Deus, acreditamos que todas as pessoas são ruins, vemos o mundo mais cinza e sem perspectiva.

Em alguns momentos, sentimos a energia de todas as pessoas e de toda a natureza; de repente, parece que perdemos a sensibilidade, nos aproximamos de pessoas ruins, somos enganados e pensamos: *Como não senti que era uma pessoa ruim? E Deus? E meu anjo da guarda?*

Também mudamos nossa fé e nossa religiosidade.

Tudo na vida é movimento.

Acredito que você compreendeu e percebeu esses movimentos em si mesmo e na sua própria vida. Agora vamos ao ponto nevrálgico do assunto: todo movimento provoca atrito, tensão, compressão e expansão.

Posso usar como exemplo o verbo "relar", de relação, e também o afeto.

Talvez o verbo relar não seja comum para você, mas talvez você já tenha escutado alguém dizer que o outro estava "relando" nele. Alguns, quando ouvem esse verbo, acham que é um erro de linguagem, que na verdade deveria ter sido dito "ralar". Mas ele existe. Relar é sinônimo de roçar, de atritar.

Relação é uma palavra que parece ter ligação com o verbo "relar". Logo, toda relação tem o atrito como sua essência. Só há relação sem atrito quando uma pessoa exerce um poder dominador tão grande e tão ameaçador que obriga o outro a se calar.

O atrito pode ser visto como problema ou como algo natural das relações. Em todo caso, o equilíbrio nas relações significa compreender os atritos e saber como eles compõem um relacionamento saudável. A ausência de atritos talvez seja dominação, por um lado, e subjugação, por outro.

Enquanto atrito parece ser uma palavra ruim, mais claramente associada a um problema, o termo afeto, muito usado para falar sobre carinho, cuidado, amor, é visto como uma palavra "do bem". Mas tal qual o verbo "relar", afeto diz respeito a algo que o atinge, que o impacta, que o... afeta.

Afeto é um tipo de sentimento que dedicamos ao outro na expectativa de que nossa presença na vida dele seja marcada. Quando sentimos afeição por algo, um sentimento em geral positivo, afetamos esse algo que é alvo do nosso afeto.

Seja trabalhando, vivendo em nossa casa, administrando nossa conta bancária, a impermanência da vida, os afetos, os desafetos e as relações nos colocam diante de outra verdade inalienável: a inconstância, os movimentos e a dinâmica da vida nos obrigam a navegar entre o contentamento e o descontentamento.

Ora contentes, ora descontentes. Ora alegres, ora pensativos. Ora o sucesso, ora o fracasso.

Escolhi este capítulo para contar o principal segredo sobre como se tornar um solucionador de problemas: *os problemas não devem ser negados nem evitados.*

Eu aposto que você escolheu ler este livro porque não gosta de problemas (e quem gosta?). Mas o primeiro passo é a decisão de encará-los e enfrentá-los, em vez de mascará-los e ignorá-los.

Muitas pessoas se medicam para fugir de problemas. O remédio se torna não um elemento de um tratamento sério de saúde, mas uma espécie de muleta para evitar o enfrentamento dos problemas. Basta ver as pessoas que, sofrendo por amor, recorrem à automedicação com ansiolíticos e outras drogas. Tomam um remédio para dormir e depois outro para se manter de pé.

O Brasil é o país no mundo com o maior número de pessoas usando tranquilizantes antes dos 26 anos de idade, segundo a Proteste. Em 2018, apenas uma substância usada para induzir o sono vendeu 11,4 milhões de caixas, segundo a Anvisa.

Queremos fugir da dor, do sofrimento e, por conseguinte, dos problemas. É isso que nos torna péssimos solucionadores.

Em algum momento, nossa sociedade passou a se fragilizar a tal ponto que a força para superar algo difícil se tornou um mérito, uma característica rara, um fator de diferenciação.

Quando digo que o equilíbrio total é a morte, quero lhe dizer que a vida é isto: a inconstância, a incerteza, os altos, os baixos e os médios. Você está pronto para viver? Você está preparado para estar aqui, vivo, neste tempo, neste momento, e chegar mais longe do que onde está agora?

Ao pensar em gerações passadas, penso em quantas pessoas fugiram de países em guerra, dos campos de concentração nazistas, da fome na secura do sertão brasileiro e de tantos outros episódios de sofrimento pelos quais a humanidade passou.

Você acha que a geração atual está preparada para superar essas situações?

Você acredita que neste século vamos desenvolver pessoas em condições de propor soluções para esses problemas?

É engraçado que, no que concerne à tecnologia, tenho certeza de que as pessoas são treinadas desde a escola para resolver problemas. Temos visto a robótica e a matemática crescerem bastante nas escolas brasileiras. O crescimento da área de tecnologia da informação também tem demonstrado essa tendência.

Perdemos mesmo na área humana.

Solucionamos bem problemas que não envolvem pessoas. Esse é hoje o nosso principal déficit.

Sobre morte e legado

"O único problema para o qual não há solução é a morte." Essa é uma frase clássica conhecida e repetida por séculos, talvez milênios.

Vamos então falar sobre mais esse "problema", que, como todos os outros, só é um problema para quem o vê assim. Na verdade, é uma realidade.

Venho falando desde os primeiros capítulos sobre a importância da nossa história e sobre como podemos dar significados diferentes à nossa vida a partir das nossas escolhas – como escolher ou não agir a respeito de alguma coisa.

Nossa bagagem existencial, nossa cultura, nossas crenças e experiências influenciam diretamente nossa vida, mas é o que decidimos fazer dessa bagagem que importará na construção do que eu chamo de legado de vida, o qual, embora tenha "vida" no meio, está mais próximo da morte.

Eu vivi há alguns anos uma experiência de quase morte (EQM) que modificou completamente minha forma de ser, ver e fazer. Fui baleado em um assalto e caminhei pelo fio que separa o estar vivo do estar morto.

Quando acordei, dias depois, na UTI de um hospital, já estava completamente modificado. Tenho falado muito sobre essa experiência em formações e palestras para dizer que a morte não é um assunto a ser escondido.

O reconhecimento da morte como um acontecimento iminente tem um poder transformador. Quando uma pessoa se vê na iminência da morte, ela não se ocupa fazendo algo de que não gosta, cultivando sentimentos que causam mal-estar e raiva. A iminência da morte nos aproxima do que nos dá prazer e nos coloca em contato com os sentimentos mais nobres.

Se hoje fosse seu último dia de vida, com certeza você ligaria para alguém para dizer o quanto essa pessoa foi importante na sua vida, e não para dizer o quanto você a odeia e não a perdoa.

Por isso, pensar em legado não é um desejo pelo fim, mas um desejo e uma busca pela permanência. Sim, você pode fazer com que as pessoas se lembrem de você. Você vai viver em seu legado.

A palavra legado é outra que tem se tornado muito comum e banalizada. Isso me faz refletir, porque o uso ampliado, para mim, deveria gerar mais compreensão, no entanto não é isso que costuma acontecer.

Legado é uma marca, um perfume da nossa existência que fica mesmo depois que partimos deste plano material. A morte, como sabemos, costuma ser vista como o único "problema" não solucionável.

Há muitos mitos e outras tantas histórias que dão conta de personagens que tentaram, sem sucesso, vencer a morte. Em diversas culturas há relatos de uma fonte da juventude eterna ou um elixir mágico da imortalidade.

Gerações se passaram e nada foi descoberto, nosso corpo continua morrendo. Mas, apesar disso, grandes pensadores, conquistadores e outras pessoas ilustres se imortalizaram na história.

Mesmo em nossas famílias há sempre um nome forte a ser evocado, um patriarca ou uma matriarca que fez algo muito nobre ou muito sacrificante e ficou para sempre marcado na história da família.

Há personalidades públicas cuja importância é socialmente reconhecida e que dão nome a praças, ruas, escolas e monumentos públicos.

Essas são formas de vencer a morte. Logo, se a morte do corpo ainda é uma condição invencível, a morte da nossa memória pode, sim, ser vencida, e a maneira de fazer isso é deixar nossa marca no mundo, o nosso legado.

Construir um legado exige de nós vencer a etapa de resolver problemas. Eu sei, esse é um estágio importante, mas focados em resolver problemas seremos para sempre remediativos, e nunca propositivos.

Legado é construir, produzir algo, é fazer, enquanto resolver exige consertar algo que não foi bem-feito. É uma amarra. Tanto que, nas empresas, quando alguém não produz nada e apenas resolve problemas, dizemos que está "apagando incêndios" o tempo inteiro.

Na vida, entender nosso propósito é a ponte que leva do estado remediativo para o estado propositivo. Entender o propósito da nossa vida, contudo, leva tempo. Não é um processo fácil, pronto, como uma receita de bolo.

Para reconhecer nosso propósito é fundamental que queiramos viver profundamente o compromisso do autoconhecimento contínuo, do planejamento e do foco.

O propósito e o legado vão muito além do pensamento de fazer algo para viver hoje, envolvem mais do que pensarmos somente no aqui e agora. Quando decidimos construir um legado, passamos a pensar em algo que vai ficar para o futuro, para as próximas gerações, que constituirão a memória de quem nós fomos.

Acredito que há sempre um ponto de virada, aquele momento em que algo nos desperta para a necessidade de vivermos de forma diferente, construindo. Esse ponto de virada pode ser, inclusive, a leitura de um livro.

Pode ser também uma reflexão profunda, uma palestra ou um episódio marcante de nossa vida. Experiências são sempre mais fortes do que conhecimentos.

No fim, o transtorno da morte da memória estará resolvido se você conseguir que seus problemas ocupem menos espaço na sua vida e que a busca por algo maior e com mais significado torne-se o seu norte.

OS 7 EFEITOS DA GRATIDÃO

Não é que gratidão esteja na moda, é que gratidão é, realmente, algo mágico. Agradecer é mais que dizer palavras de reconhecimento. Ser grato é um estado interno de beleza interior e de conexão profunda com os sistemas aos quais pertencemos.

Sentir gratidão pelo que temos é um grande diminuidor do impacto de tudo que consideramos como problema.

É impressionante como temos dificuldade de gerar em nós o sentimento da gratidão. Os mais religiosos aprendem a agradecer a Deus pelas conquistas mais significativas. Quando crianças, aprendemos a agradecer a nossos pais e a outras pessoas pelos presentes que nos dão, mas só muito mais tarde descobrimos que o "obrigado" representa a gratidão, um sentimento revolucionário e extremamente poderoso.

Pensando nisso, eu quero compartilhar com você alguns conhecimentos que já uso há algum tempo e que atualmente tenho utilizado ainda mais, pois, a cada experiência que vivo, passo a ter mais certeza de que a gratidão é o caminho para uma vida próspera e feliz, não livre de problemas, mas com disposição para resolvê-los.

Não quero dizer que é importante ser grato, porque isso tenho certeza de que você já sabe. Também não quero me demorar explicando como desenvolver o sentimento da gratidão.

Quero falar sobre como a gratidão, uma vez que a temos verdadeiramente, produz frutos em nós, na nossa saúde mental e física, gerando harmonia e felicidade em todos os sistemas a que pertencemos. Isso não é mística, é neurociência.

Todo sentimento tem ressonância no nosso corpo, por meio dos hormônios e de sensações. Quando reconhecemos algum fato bom da vida, uma conquista ou qualquer outro evento que nos gere o sentimento de gratidão, o sistema de recompensa do cérebro é ativado numa área chamada núcleo accumbens.

Quando isso acontece, é liberada uma substância chamada dopamina, responsável por transmitir as mensagens entre os neurônios, gerando sensação de bem-estar profundo.

Além da dopamina, existe outra substância, chamada ocitocina, que ajuda a controlar os estados mentais ácidos e nocivos. Ela é estimulada pelas vias cerebrais e tem a função de despertar a ação do afeto, diminuir a ansiedade, reduzir o medo e o pânico e trazer bem-estar.

Uma das verdades mais incríveis sobre a gratidão é que ela pode ser exercitada, aprendida, cultivada. Dessa forma, o cérebro naturalmente trabalha para encontrar o caminho que leva ao sucesso e à felicidade. Todo gesto de bondade desencadeia um gesto de gratidão no outro, que se liga a um próximo gesto de bondade, em uma cadeia que movimenta poderosamente a energia do universo.

A gratidão é fruto da expansão da nossa consciência. Somos verdadeiramente gratos quando reconhecemos que somos parte de um sistema, que somos dependentes do todo e que também alimentamos e produzimos esse todo. A gratidão é o reconhecimento da sacralidade da vida.

Mas a gratidão não tem relação com a neurociência? Sim! É por isso que você precisa entender de uma vez por todas que cérebro, alma, corpo, mente e sentimentos são elementos da nossa existência, componentes do todo que é o mundo. Acreditar que uma atividade é cerebral ou hormonal não nega que ela tenha uma essência divina. Nosso cérebro, assim como todo o funcionamento do nosso corpo, é uma manifestação divina.

Você acredita nisso?

Se você acredita que somos uma manifestação divina, você reconhece que não há separação, que não somos "eu", mas "nós". Não somos um, somos o todo.

Se queremos uma vida com significado, estamos inconscientemente buscando um estado de gratidão, um resultado que gera outros resultados.

Eu quero lhe ensinar os 7 efeitos da gratidão.

Cria senso sistêmico

Melhora os relacionamentos

Gera vulnerabilidade

Melhora a saúde do corpo

Produz felicidade e bem-estar mental

Muda nosso *mindset*

Atrai prosperidade e abundância

Melhora a saúde do corpo

Quando aprendemos a ser gratos, passamos a construir uma vida mais leve. Isso porque os hormônios liberados pelo sentimento da gratidão diminuem as tensões do corpo, o peso sobre os ombros e o fardo das preocupações. Passamos a viver mais relaxados, com menos carga. Nosso corpo se articula melhor e passa a ter mais disposição. A Associação Americana de Psicologia mostra que o sentimento de gratidão diminui os biomarcadores inflamatórios, com impacto positivo sobre as defesas do organismo – tudo isso associado à melhora do humor, à diminuição do cansaço e ao aumento da qualidade do sono.

Gera vulnerabilidade

Há diversos sentimentos atrelados à gratidão, mas acredito que nada se compara à vulnerabilidade e à compaixão. Pessoas que não costumam nutrir o agradecimento buscam a todo custo mostrar-se superiores e autossuficientes. Não agradecer significa acreditar que nada do que o outro faça é necessário; sendo assim, não é preciso agradecer, pois cada um é capaz de produzir sozinho tudo de que precisa. Gratos, entendemos que somos o tempo todo afetados pelos outros, e isso produz uma vulnerabilidade concreta, mas que nem sempre é assumida, pelo medo da demonstração de fraqueza. Há um poder incrível na vulnerabilidade, na experiência de afetarmos e sermos afetados pelo outro o tempo inteiro.

Melhora os relacionamentos

Talvez esse seja o efeito mais óbvio e imediato. Se somos gratos, somos gratos a alguém. Esse alguém é um alguém múltiplo... Somos gratos a Deus – caso faça sentido para você –, somos gratos aos nossos pais, somos gratos aos amigos e a nós mesmos, por termos assim nos permitido. Somos gratos à natureza, que teima em resistir a todos os ataques que fazemos a ela. De maneira imediata, ao agradecer, melhoramos o relacionamento com nossas verdades internas, com nossa família, com nossos colegas de trabalho, com os amigos do bar, com o atendente que nos serve café e com Deus, caso você acredite que todas as coisas partem Dele.

Cria senso sistêmico

Talvez você quisesse viver sozinho, para não ter com quem se enraivecer, brigar e discordar. Mas, mesmo que vivesse sozinho, o ar que entra em seus pulmões pela sua respiração já seria suficiente para conectá-lo ao sistema natural do universo. Como dizia Bert Hellinger, patrono das constelações familiares, na sua obra *Ordens do amor*, nós pertencemos a muitos sistemas, mesmo que não tenhamos consciência disso. A consciência orgânica, que percebe sistemas, gera senso de responsabilidade, pois a partir dela entendemos que somos construtores da realidade em que vivemos. A gratidão nos leva a perceber conscientemente os sistemas e a estar mais conectados com nosso condomínio ou nossa rua, com nossa equipe, nossa congregação religiosa, nossa empresa etc.

Produz felicidade e bem-estar mental

Não há felicidade autêntica fora do estado de gratidão. A felicidade é subjetiva; cada um se sente feliz a partir de um estímulo absolutamente pessoal, porém, todo senso de felicidade parte de um florescimento interior, de um estado de beleza. É impossível que alguém chegue a um estado de beleza interior sem que tenha se encontrado com o verdadeiro senso de gratidão. Ou seja, mesmo que meus motivos para ser feliz sejam diferentes dos seus, de qualquer forma a felicidade em nós é gerada por movimentos de mudança interior. A felicidade autêntica vem da superação da superficialidade da alegria, vem da paz e do bem-estar subjetivo ou mental. A gratidão é um pressuposto da felicidade. Repare que pessoas que não se sentem felizes têm muita dificuldade em agradecer por coisas simples, como uma ajuda no trabalho do dia a dia ou mesmo um chá oferecido por alguém. A tristeza interrompe os movimentos de gratidão – ou talvez a dificuldade de ser grato é que seja um dos geradores de tristeza e infelicidade.

Muda nosso padrão mental

Aqui há um benefício ligado à palavra "gratidão", ou "obrigado". Aliás, você já percebeu que as pessoas andam falando menos "obrigado" e mais "gratidão"? Isso é, mais que um modismo, uma forma de entender como a linguagem influencia a organização de nossa forma de pensar, os nossos padrões mentais, que chamamos de *mindset*. As palavras que usamos e as que evitamos constroem simultaneamente nosso linguajar e nossa forma de pensar e ver o mundo. Usar com frequência uma palavra faz com que ela sirva de lente para vermos o mundo. Minha mãe, quando eu era bem criança, me proibia de dizer algumas palavras – acho que todos os pais e mães fazem isso –, e ela estava certa. Não dizer uma palavra que tem um significado muito negativo evita que criemos um padrão mental também negativo; evita, por conseguinte, que nos conectemos com vibrações de desarmonia, separação, tristeza e desavenças. Usar a palavra "gratidão", ou mesmo o costumeiro "obrigado" – desde que ele esteja com seu significado restaurado –, produz uma mudança no padrão de pensamento. No começo pode ser mecânico, como uma técnica, mas aos poucos torna-se natural, porque a gratidão se introjeta em nós.

Atrai prosperidade e abundância

A gratidão é parte do movimento sistêmico universal de dar e receber. Há leis que regem o universo, e uma delas é a lei da ciclicidade das energias, o princípio da prosperidade e da abundância. Dar e receber são movimentos cíclicos que fazem com que tudo no universo tenha uma natureza circular: seca e chuva, plantação e colheita, nascimento e morte. A expansão da nossa consciência nos torna gratos ao receber e faz com que recebamos gratidão quando damos. Produzir esse movimento de dar e receber é abastecer o motor da prosperidade. Ninguém que pouco agradece se torna próspero; talvez possa se tornar rico, mas não próspero. A prosperidade é o senso de significado da riqueza; para quem pensa apenas em acúmulo, em receber, não há significado nos bens que se angariam. O principal efeito da gratidão é a prosperidade. Todo o movimento da gratidão deságua na riqueza, material e espiritual.

Quer atrair prosperidade, ter melhores relacionamentos, mais saúde e pertencer aos sistemas? Aprenda a ser grato.

Eu acreditava realmente que o ar, as árvores, a luz, a água e tudo o mais estariam sempre aí para nosso uso. Até que houve aquela grave crise hídrica em São Paulo, entre os anos de 2014 e 2016. Acredito que, em decorrência daquele episódio, todos entendemos que o simples fato de abrirmos a torneira da nossa cozinha e haver água saindo é motivo suficiente para sermos gratos.

Gratos porque temos água, gratos porque vivemos em um momento de desenvolvimento da humanidade em que a água chega até nós por meio de uma tecnologia incrível, gratos porque temos condições de pagar pelo serviço que leva essa água até nós, gratos porque essa água lava, irriga e salva o nosso corpo, nos dando vida.

Não há coisas mais simples ou mais complexas por que agradecer. Agradecer por tudo, essa é a tarefa revolucionária da nossa era.

Meditação para gerar o estado interno de gratidão

É necessário que você leia o texto a seguir em ambiente de profundo silêncio e isolamento. É preciso que você esteja sozinho, ou acompanhado de alguém que possa meditar com você, seja em seu quarto, na varanda ou na sala, e que não haja nenhum barulho a tirar sua atenção – talvez possa haver sons ambientes ou da natureza, ou uma música leve.

A meditação é o momento de voltar-se para o que está dentro. Fazemos isso muito pouco durante nossa vida, quando deveria ser um hábito diário. Reserve esse momento para você, para o seu desenvolvimento. Dê-lhe a importância necessária.

Meditar não é um hábito de uma ou outra religião. É uma técnica ancestral identificada em quase todas as civilizações primeiras, sobretudo as orientais. A prática da meditação equilibra nosso organismo, organiza nossa mente, desperta nossa divindade e nos leva ao autoconhecimento.

Quero convidá-lo a uma prática que pode ser feita com os olhos fechados, caso alguém possa ler este texto para você, mas que também pode perfeitamente ser executada a partir de uma leitura serena e concentrada.

Coloque-se em uma posição em que você esteja bastante relaxado, mas não o suficiente para adormecer ou se distrair.

Mantenha os olhos fixos nestas páginas.

Você é um ser completo... Preste atenção em como o ar entra e sai de você.

Observe sua respiração por três vezes. Três inspirações... Três expirações.

Pense no sangue que corre por suas veias e leva esse oxigênio por todas as suas células.

Sinta seu coração bater, sua pele, seus cabelos... Sinta quanta saliva se acumula na sua boca e o movimento dos seus olhos.

Talvez essa seja a primeira vez que você esteja tão atento a si mesmo...

Isso é muito bom.

Agora, sinta que o ar que você respira o liga a todas as outras pessoas do mundo. Você está respirando o ar que acaba de sair delas. Elas estão respirando o ar que acaba de sair de você.

Imagine um lugar com uma multidão de pessoas... Você não conhece nenhuma delas.

De repente uma dessas pessoas se ilumina, se torna fluorescente. Você olha fixamente para ela, encantado com a luz que naturalmente emana daquela pessoa.

Você começa a ver que outras pessoas começam a emitir a mesma luz.

Uma a uma, cada pessoa dessa multidão vai se iluminando... Agora, você também se ilumina.

Uma luz muito forte começa a emanar de você. Você completa a luz da multidão. Todos emitem luz, e você também.

Você começa a compreender que cada pessoa é um ponto de divindade e que é maravilhoso quando todas as pessoas se iluminam.

Sinta que dentro de você, na altura do seu umbigo, há um globo de luz.

Ele é mais ou menos do tamanho do seu punho e gira lentamente, vibrando e emitindo uma luz amarela e branca.

Essa é a mesma luz que também emana das outras pessoas.

Sinta que você é mais uma peça de um sistema que depende de tudo que há nele. Neste momento, você não se sente melhor, mais importante, mais honesto, mais correto, mais triste nem mais feliz que ninguém. Você é apenas mais um ponto de luz dentro de uma grande força mágica de energia.

Agora, faz sentido para você agradecer por fazer parte desse todo.

Você se sente feliz e agradecido por poder ser parte disso. Você percebe que ser parte desse universo é uma dádiva, algo especial e muito importante.

Você sente que precisa demonstrar a todas as outras pessoas que compreendeu a importância de pertencer.

Você acabou de descobrir que ser grato significa entender que você é parte de algo maior, significa que você precisa demonstrar que compreende e se alegra por isso. Sendo parte do ambiente ao seu redor, toda a luz vibra de você para o mundo e do mundo para dentro de você.

Aos poucos você vai se concentrando de novo na sua respiração... Você sente o globo de luz se dissolver no mundo... Você olha por cima do livro e vê o que está à sua frente...

As visões que temos quando meditamos são verdadeiras visões espirituais. Elas estão muito além da visão externa. Não se ligam a dinheiro nem a aparência. A visão espiritual associa-se apenas à beleza interior daquilo que realmente somos.

Quando comecei a falar sobre gratidão, há mais de quinze anos, as pessoas achavam estranho. Elas gostavam de ouvir "gratidão", mas não sabiam exatamente por que isso lhes fazia tão bem.

Aos poucos, aqueles que fizeram formações comigo foram se tornando multiplicadores da palavra "gratidão", até que isso de algum modo se transformou num movimento de positividade. Mas o que fazia tão bem às pessoas e que elas não entendiam era que a gratidão as conectava umas às outras. A gratidão cria um laço inconsciente de pertencimento, que gera essa leveza, esse amor e esse bem-estar.

A quem você precisa demonstrar sua gratidão hoje?

Demonstre sua gratidão sempre, mas não cobre isso dos outros. Quem agradece cobrando agradecimentos não entendeu o sentido de se conectar ao universo por meio dessa poderosa fonte de energia.

VIVA A LEVEZA

Ser leve.

A vida não é leve nem pesada. É simplesmente vida.

Assisti, não sei ao certo se na internet ou na tevê, a um vídeo de uma mãe que brincava com seu filho de alguns meses de vida em meio às ruínas de uma casa atingida por uma bomba, em um dos lugares que hoje vive o horror da guerra.

Havia um colchão, uma criança e uma mãe. Havia risos, mãozinhas e pezinhos agitados. Ali havia vida.

É uma situação triste, um drama antigo que ainda hoje atinge algumas nações. A guerra é uma das situações mais desumanas que se pode viver. Mesmo assim, a mãe brincava com seu bebê que sorria, desconhecendo o que se passava ao seu redor.

Aquela mãe me ajudou a compreender como a vida deve ser vivida, mesmo em meio aos problemas.

Ao brincar com aquela criança, a mãe não resolvia a guerra, mas mostrava que há impactos que não estão sob o nosso controle – a casa, por exemplo, estava destruída. Mas há impactos que podemos suavizar, o que já representa um olhar para a solução em vez da potencialização do que é ruim.

Acredito que ela deve ter pensado algo como: *Não posso parar a guerra, mas posso fazer meu filho sorrir enquanto ele não compreende a situação*. Essa é uma pessoa que busca soluções. Pequenas, pontuais, mas possíveis.

Aceitamos os problemas como eles são, os compreendemos. Depois, ou sofremos e nos paralisamos, ou agimos, mesmo sofrendo.

Agir diminui a carga de dor, porque sua mente está ocupada demais pensando em como prosseguir. A inércia aumenta a dor, porque você se deixa consumir por ela.

Ser uma pessoa de foco na resolução nos ajuda a viver melhor... a viver mais leve.

A vida não é leve nem pesada, mas nós podemos acumular ou não pesos que impactam nossas vidas.

Uma coisa que espero ter ficado muito clara neste livro, e que faço questão de que esteja muito forte em sua mente, é que pessoas resolutivas se envolvem com os problemas. Elas não os ignoram, nem buscam culpados – mesmo que isso seja necessário, como em casos de violência ou corrupção.

Envolver-se com os problemas é uma provocação que nos faz, aos poucos, retirar de algumas situações o rótulo de "problemas".

Eu acreditava que lidar com a burocracia do mundo empresarial era um problema gigantesco. Durante algum tempo, achei que investir nas minhas empresas, abrir filiais e expandir era trabalhoso demais, burocrático demais, dispendioso demais.

Eu via a burocracia, com seus impostos e todas as questões fiscais e legais, como um grande desafio a ser enfrentado e isso me paralisou durante um tempo. Até que eu me envolvi com a burocracia e aprendi tudo que era necessário sobre ela.

Isso me fez não apenas mais conhecedor do processo, mas fez com que eu passasse a não enxergar mais o problema que havia ali. Hoje, vejo que tudo faz parte do negócio. Não me tira noites de sono nem gera preocupações descabidas. Logo, não há mais problema.

A burocracia empresarial passou de pesada a leve.

Quando você passa a morar sozinho, cuidar da casa e cozinhar podem ser dificuldades gigantescas. Pode ser que você conheça alguém que tenha demorado anos para sair da casa dos pais por não querer enfrentar as responsabilidades do lar: "Chegar em casa todos os dias e cozinhar? Meu Deus! Eu não sei cozinhar".

Até o dia em que você aprende. Faz comida que sobra e possa ser armazenada na geladeira. Guarda frutas lavadas e sanduíches prontos. Assiste a programas de culinária e testa receitas.

Cozinhar não necessariamente se torna um prazer, mas deixa de ser um problema, porque você se organizou e aprendeu.

Sentimentos negativos são pesados. Eles pesam a nossa vida. São, eles mesmos, problemas.

Nos meus atendimentos como coach, percebo que os sentimentos negativos duram muito mais que sentimentos positivos. Quando você supõe que algo ruim vai acontecer, todas as sensações de medo, raiva e ansiedade já começam a impactá-lo.

Quando algo ruim de fato acontece, você permanece dias e dias em situação de raiva, angústia e tristeza, perpetuando o sofrimento.

Quando você assiste a um show incrível ou faz um passeio divertido com a família, algumas horas depois aquela sensação de prazer já está mais sutil e vai se esvaindo com muita rapidez.

Logo a sensação boa some e restam as memórias.

Essa insistência dos sentimentos negativos em permanecer vai nos deixando contaminados, até o ponto que parece que somos assim mesmo: irritadiços, impacientes, agressivos... pesados!

É preciso tomar consciência de que isso não é o que nós somos, mas um estado em que nos encontramos. Estados mudam.

Mudar o nosso estado de pesado para leve envolve observar de perto os sentimentos que cultivamos, e isso está diretamente ligado à nossa percepção do que é ou não um problema.

Eu desejo fortemente que esta leitura tenha ajudado você a perceber que é possível ter menos problemas. Você pode mudar a percepção de algumas coisas que, hoje, parecem ser situações problemáticas, mas que talvez seja apenas o seu medo de enfrentá-las.

Pode ser que, terminando esta leitura, você já esteja pensando melhor sobre seu estado de alma, seu envolvimento consigo mesmo e com o mundo.

Pode ser – e eu desejo que sim – que, a partir de agora, você esteja repensando as suas relações, partindo de como contribui para que elas sejam boas e harmoniosas. Olhando mais para si mesmo.

Talvez você já esteja julgando menos as pessoas. Julgar os outros nos coloca em uma falsa sensação de superioridade. Gera desamor e infelicidade.

Acredito, principalmente, que você pode impactar a vida de muitas pessoas de maneira positiva. Uma pessoa que consegue olhar para fora de si transforma a si mesma, sua família, sua empresa, seu condomínio e o mundo em um lugar melhor.

O mais incrível é que quando você está buscando uma solução – e acredito que a leitura deste livro seja um movimento nesse sentido – é porque você já acredita que essa solução existe e a leveza começa a se fazer presente.

Leveza é sinal de que agimos no sentido certo e não nos omitimos. Peso é a sensação de que nos intoxicamos e não evoluímos. Desejo que você não chegue a essa conclusão sobre si mesmo. Mas caso chegue, a decisão da mudança é exclusivamente sua.

O que você vai fazer diferente agora para ser cada dia mais parte das soluções do que dos problemas?